JN034518

民法の基礎知識（2）

〔質 問 と 解 答〕

高 梨 公 之
染 野 義 信 著
篠 原 弘 志

＊入門・基礎知識編＊

有 斐 閣 双 書

はしがき

この本は、三人の筆者の分担で書かれた。問題の提示と配分には高梨が多少手を加えたが、内容はまったく各自の責任で、見解の統一は計られていない。分担は、財産法の解釈学的問題については篠原が、民法と民事訴訟の接触面に対しては染野が、身分法の法社会学的考察をめぐっては高梨が、それぞれ主として担当する形となったが、もちろん出入りはある。できあがりをみると、ふつうの教科書ではさほど詳論されない、もしくは各所に分説されている諸点を、やや詳しく、集中的に説くことによって、民法理解のいわばドリルを提供するようなものとなった。その内容は、読者が愛用される教科書とくい違い、とくに問題意識をことにしている面も少なくないかと思うが、議論の当否は別として、そういう違った考えかたを知り、検討し、批判することによって、読者の知識をより高い、より精緻なものにする資料の役にだけは十分たつように思う。この本を信じてもらうのではなく、この本を乗り越えて思索を深め、進めてもらうことが、筆者たちの狙いであり、また願いである。

この本は、かなり重要な問題を二二問とりあげている。対立する学説を一つ一つ巨細に引くには紙幅も足りないため、あえて小異を捨て大同につき、全体を簡略に纏め、概言する必要も多かった。そのため、引用した学説の出所をことさら明記しなかった場合もある。また、各問題にのせた表は、編集部の希望もあり、理解と纏めの便宜のため多少の無理を冒してつけた場合もあるので、これはおおよそのものとしてみ、かつ利用していただきたいと思う。

この本の筆者には、元来山主政幸教授が加わるはずであって、同君はいわば幹事役を買って出て、問題などあれこれ工夫しておられたのであったが、昨夏思わざるに急逝される不幸に遭われた。ここにこの本の成ったことを記して、教授のみたまに報告することをお許したまわりたい。また、執筆の奨めから校正・索引の作成まで、有斐閣の矢野暉廸さんには格段のご苦労をおかけした。ここにあつく感謝の意を表したい。

昭和四〇年六月二日

著者

目次

事項索引

第一問　一般条項は解釈学上どのような評価を与えられるべきであるか

一　般条項の意味と機能

一般条項とは、それが適用される時代や社会のありかたによって決定されるような、一般的・抽象的な内容をもった法規をいう。あるいはこれを、白地規定といい、白紙条項ないし普遍条項と呼ぶこともできるであろう。もっとも、このことばがふるくから一般に熟していたというわけではない。現に、昭和一二年の法律学小辞典にはこの項はなく、昭和三五年の民事法学辞典にその姿を示している（上巻五〇頁）といったぐあいである。総じていえば、法規の一般条項化が学界の問題となった戦争直前から、別の意味でそれが重用されるようになった戦後にかけて、とくに一般条項に対する問題意識が勃興したのだと考えてよいであろう。いいかえれば、それは、社会の激変期において、流動する社会事象を適切に規制する上にすぐれた機能を示すものであった。と同時に、安定し、法規と社会のギャップが比較的少ない社会においても、法規をもってしては表現し尽くせぬ遺漏を補い、法理念を法規化する意味で、やはり存在の理由を失うものではなかった。ただ、その機能には、積極的と消極的の違いがある。その意味で現代は、やはり一般条項の重要性をとくに認めなければならぬその時に属する。

以前から一般条項としてとくに問題とされたのは民法九〇条である。しかし、それとて個人意思を尊重する近代法のもとでは、合意を制約する例外的原理であったに過ぎない。旧民法財産編が、「当事者ハ合意ヲ以テ普通法ノ規定ニ依ラサルコトヲ得……但公ノ秩序及ヒ善良ノ風俗ニ触ルルコトヲ得ス」としたのは(三二八条)、端的なそのあらわれであった。ところが、身分秩序を超克する意味で自由意思の尊重がその任務を果たしおえてみると、一面において近代的意思尊重の原理を護持し発展させてゆかねばならぬ要請とともに、他面において経済的隔差の上に展開される表見的な意思自由を抑え、いわば自由の基礎条件から反省された実質的自由を考うべき要請が生ずる。自由がそもそも平等への方法だったことを反省し、その確保のために経済的強者の自由を枠づけしようとするのである。このためには、九〇条の規定が全能の力を発揮する。公序良俗あるいは社会的妥当性ということばは、その例外規定であるという制約さえはずせれば、あらゆる実定規定の内容を左右する根本の規制となりうるからである。「第九〇条は、個人意思の自治に対する例外的制限を規定したものではなく、全法律の全体系を支配する理念が偶々その片鱗をここに示したに過ぎない」という理解が生じてくるのである(我妻・総則二三〇頁)。同じ傾向は、契約法と対置される不法行為法の領域にも展開される。民法七〇九条の「他人ノ権利ヲ侵害」するとは、とくに権利として確立

民法の一般条項——九〇条の優位と七〇九条の一般条項化

したものの侵害を求めるわけではなく、社会生活上の利益の許されない侵害――侵害される利益と侵害行為の程度の強弱から導かれる行為の「違法」性（国家賠償法一条一項）を要求するものに過ぎない、と解されるようになるのである。また、不当利得法における「法律上ノ原因ナクシテ」（七〇三条）が受益の不当性を示すものと解されるなども、重要度は落ちるにしても同じ傾向を示している。

新立法と一般条項

この解釈論の展開に呼応して、立法もまた一般条項を大幅に採り入れることになる。家屋賃貸借の解約や更新の拒絶について「正当ノ事由」を要求する借家法の規定（一条ノ二）、争議行為について「正当なもの」であることを求める労働法の規定（労働組合法八条・一条二項）、さらには権利の公共性・その行使の信義誠実性・権利濫用禁止を定める民法の新設規定（一条）など、すべてがこれに属するといってよいのである。

身分規制とその一般条項化

この点でとくに注目に値するのは、昭和二二年改正民法における一般条項の進出である。いうまでもなく、身分法は強行性に親しむ法域であって、予定された身分秩序を尊重するたてまえから、意思の自由は少なくともその内容について制約を免れない。ところが、改正法は、個人の権威と両性の平等とを高調して従来の家的身分秩序を変容させようとするのだが、その予定する秩序への到達が実現過程の一般条項化によってはなはだしくあいまいにされている。財産法における一般条項が、それによって経済隔差あるものの自由を抑えるのとは逆に、予定された身分秩序の樹立を古い家の意識に支えられた自由意思、とくに協議を通じて緩和させる作用をさえ営みやすいのである。いま、その一斑を挙げてみよう（高梨・日本婚姻法論一三頁以下）。

(1) 氏について　父母が氏を異にするときは、家庭裁判所の審判をえていずれかの氏に変更しえ（七九一条一項）、子が一五歳未満のときは法定代理人が代わってこれを行ないうる（同条二項）。子が成年に達して一年以内ならかれの意思により復氏ができる（同条三項）。生存配偶者もその意思で婚姻前の氏に復しうる（七五一条一項）。

(2) 祭祀財産の帰属について　被相続人の指定、指定がないときは慣習、慣習不明のときは審判によって帰属がきまる（八九七条）。生存配偶者の復氏・離婚・婚姻取消しの場合にも協議・審判によってきまる（七五一条二項・七六九条・七七一条・七四九条）。

一般条項――その狙いと解釈学の任務

本来意思自由の認められる領域で、これに公序性の枠づけをしようとする一般条項化	私権の本質・行使の規制（一条） 法律行為の規制（九〇条）・解釈（一条ノ二） 不法行為の認容の解釈論（七〇九条）など
本来公序的に定められるべき領域で、これと反する社会実態への顧慮から、これを緩和するための一般条項化	身分法における協議・審判など
いずれの場合も、規定の理想と現実を考えあわせつつ、解釈論的類型化が必要	

(3)　離婚について　協議によるものが認められ（七六三条）、裁判離婚でも「婚姻を継続し難い重大な事由があるとき」が原因となり（七七〇条一項五号）、逆に不貞・悪意の遺棄・三年以上の生死不明・強度の精神病などの場合だと、いっさいの事情を考慮して離婚の請求を棄却できる（同条一項一—四号・二項）。

(4)　財産分与について　婚姻の取消し（七四九条）・協議離婚（七六八条）・裁判離婚（七七一条）などにおける財産分与は、協議により、また審判による。

(5)　子の監護者・親権者の決定について　父母が協議離婚をする場合（七六六条）、裁判離婚をする場合（七七一条）および父が子を認知する場合（七八八条）、子の監護をすべき者その他監護について必要な事項は協議で定め、それがだめなら審判できめる（七六六条一項）。親権者の決定についても協議・審判はきわめて重要である（八一九条）。

(6)　扶け合いや扶養について　同居親族の相互扶け合いも協議によろうし（七三〇条）、扶養も順位・程度・方法などすべて協議・審判にまつ（八七八条以下）。なお、生存配偶者が姻族関係終了の意思表示によって（七二八条二項）扶養から離脱できることも重要である。

(7)　相続について　その放棄は自由であり（九三八条）、遺産の分割はいっさいの事情を考慮して協議で行ない（九〇六条・九〇七条一項）、協議が成らないときは審判による（九〇七条二項）。なお、最近では、相続人不存在の場合に特別縁故者の請求によって積極遺産の分与を認める処置もとられている（九五八条ノ三、昭和三七年追加）。もっとも、相続法領域は、親族法と違い、より意思性を尊重すべき財産法分野と関係するという意味で、やや違った考察を加うべきであるかもしれない。

身分法における一般条項の特色

財産法上の一般条項が、これによって自由意思に公序性の枠づけをしようとしているに対し、身分法上のそれが、むしろ公序性の枠をはずす可能な途を用意しているかにみえる点は、きわめて特色的である。このことは、両者を同列に論ずることの不当を示すものとしてみられないでもない。しかし、身分法における理想の急転が事実の追随を失うことを憂い、いわば一時の妥協策として採った経過的措置としてことを理解すれば、個人の尊厳と両性の平等という枠づけは終始存在するのであって、いわば第二次的な一般条項とみることも不可能ではない。そしてそれが、債権契約とこと違って、本来自由であるべきでない領域で自由を認められつつ、しかも激変した理想の体現という時務を遂行していかねばならぬ困難を担っている点で、ここにとりたてて考えるだけの値打ちがあるであろう。自由を通じてこれを乗り越える公序性を実現することは、きわめて困難だからである。

一般条項の内容を類型化する必要

さて、右のような一般条項は、解釈学上どのような評価を受くべきであろうか。法規制の予測性ないし予定性を尊重する近代法のもとにおいては、擬律が時々の事情によって左右される不安定に堪えることはできない。一般条項が許容されるのは、それが具体的に規定し尽くされたあとに残る、例外的なエトワスに関するものであるか、社会の激動が具体的規定の結集を不可能にしている場合の、やむをえない経過的措置に関するものであるか、そのどちらかであるべきである。一般条項は、いわば法規の法規であり、解釈学はそれが適用される具体的事例を集成し、分析し、類型化して、一般条項がなまのままに適用される余地を縮小し、それを例外化する努力を続けなければならない。一般条項の法規化が解釈学の仕事である。解釈学からみれば、一般条項は、無限に具体化され類型化されるべき当のものであるといえる。このことが、判例の検討を通じて行ないやすいことは無論であるが、途はそれだけに限られるのではない。係争が法廷に現われ判決化されるには、時間もかかり、また特殊のものが残るおそれもある。家事事件の多くのように、判決には現われずに終わるものも少なくない。判例の検討も必要だが、目を広く社会の実際に向けて、現に継起している係争に注意をそそぐ必要がある。法解釈学は、公序良俗・違法・正当な事由・権利濫用・信義誠実等等の一般条項を法規化し、それを法秩序の中心に立たせるそのことを行なうのである。一般条項の流動性や抽象性に心酔して、その可測化や類型化を忘れてはならないだろう。

解釈論による類型化の現状

民法九〇条については、早くから判例による類型化が試みられている（我妻・法学協会雑誌四一巻五号）。不法行為や正当事由についての判例的検討もさかんである。しかし、身分法領域のそれについては、一、二の労作（たとえば、太田武男・離婚原因の研究）を除いては、判例に親しまない点もあり、また改正後の歴史が浅いこともあって、比較的検討が怠られているようである。しかし、この領域は、理念の変革が社会の実際とあい争う当の場であり、その不明確性が立法の趣旨をさえ圧してしまうおそれの多い領域である。その明確化が、実際の圧力によって民法を否定し去る危険もないではないが、協議といい、審判という方法も、しょせんは家族法近代化の枠内にあるべきものであってみれば、この一般条項的規定のありかたを明確化させることは、実は家族法改革の生死を扼するものといってもよいのである。もっとも、そういう具体化が示されても、協議がそれに反して行なわれた場合、なんという法効果もないのではないかという懸念もある。しかし、これに対しても、そういう行為が身分行為の特殊性上無効とはならないにしても、少なくも協議の主導者に損害賠償の請求原因である不法行為の成立を認める余地があるということをもって応じうるのではなかろうか。

一般条項と解釈論の任務

一般条項が単に例外的規制に止まる場合にはさしたる問題は生じない。法規適用の具体的妥当性を求めて目的的解釈の操作を行なうことからいえば、あらゆる法概念は程度の差こそあれ、一種の一般条項でありうるからである。ところが、一般条項が、これによって従来の法理念を修正し、変革しようとするときは、その抽象性にもとづく有用性が、同時に濫用や逆用の危険性と同棲することになる。あるいは改正された身分法規のように、変革の急激を緩和させようとするときも同様である。この場合は、解釈学が、理論と実際を考えつつ、一般条項の特殊化ないし具体化につとめ、法の予測性と安定性を形成して、法規制の近代性を回復しなければならない。立法が逃避したものに、解釈学が法規性を吹きこまねばならぬのである。こういう解釈学の努力によって、やがて一般条項が特殊化され、その特殊化し残された最後の場合の例外的規制として残存するのこそ望ましいのである。もっとも、その場合には、つぎの一般条項がすでに発足しているかもしれないのではあるが。要するに、一般条項をもって、倫理や常識には止まらない法たらしめるのが解釈学の仕事であり、この操作なくしては一般条項は法の名に値しない狂人の剣に止まる。あるときは正義の味方、あるときは悪魔の手先といった変幻つねない使用に供させてはならない。この意味で、一般条項そのものは、法的には必要的悪として以上の評価を与うべきではあるまい。

(高梨公之)

第二問　行為能力と意思能力とはどのような関係にあるか

行為能力制度の趣旨

私有財産を管理運用してゆく各人の能力（精神的・肉体的な条件）には、優劣の差がある。そこで民法は、一般に、能力不十分とみられる者を、未成年者・禁治産者・準禁治産者の三種に定型化し、これに親権者・後見人・保佐人などの助成者をつけて能力不足を補わせる反面、助成者の権限を無視した被助成者の財産行為は取り消しうるものとして、被助成者（行為無能力者）の財産の保全を計った。と同時に、その結果生じる相手方の不利益を軽減するため、催告権（一九条）、追認擬制（一二五条）、取消権の短期時効などの規定を設けた。これが、総則編の規定する行為能力制度のあらましである。

このように、行為能力制度は、その目的も明確であり、結果の利害も考慮してつくられている。これに対し、判例・通説の認める意思能力の法理はどうであろうか。

意思の理論

近代法は、周知のように、法律の正当性・有効性の根源を、神・領主・王などの権威に求めた旧来の思想を否定し、各人の意思にあるとし、しかも、これを人類普遍の原理であるとする思想を出発点としてくみたてられてきており、日本の法律もその例外ではない（憲法前文参照)。法律行為制度も、これと同様で、行為の効果の根源は、古くからの諸形式にあるのではなく、彼がそれを欲したことにあるとする思想——意思の理論（Willensdogma）——を基調としてつくられており、その支柱をなしているのが、「意思表示」ということばである。

意思表示なくして、法律行為の成立を認める余地はない。この意味で、意思表示は、法律行為の「要素」といわれているのだが、その理論構成には多少の変化があり、それに伴って意思能力の法理にも変化があった。

民法には、意思(無)能力について規定が設けられていない。なぜか。起草者はこの点をつぎのように説明する。「此場合ニ於テハ法律行為の要素タル意思ヲ欠クヲ以テ法律行為成立セサルモノトシ敢テ無能力者トシテ特ニ之ヲ規定セス」(梅・民法要義総則編一三頁)。「意思能力ハ法律行為ノ成立ニ欠クヘカラサルコトハ論ヲ俟タスト雖モ、是、意思表示ノ要件ト見レハ可ナリ」(富井・民法原論一巻四〇〇頁)。すなわち、意思表示といえるためには、何よりもまず、他の正常人から効果意思の表示と認められるような行動がなければならないが、それだけでは不十分で、さらに、行為者側に意思能力がなければならず、これを欠く者の行為は、あたかも、おうむの口まねに類し、意思表示したがって法律行為としての価値はまったくないというわけである。このように、意思能力を意思表示概念のうちに含ませる考えかたの源流は、フランス民法学にあるのだが、その後の意思表示論は、つぎのように変化した。

意思表示は、精神的な行為なのだから、精神的な活動能力がなければ、たとえ、他の正常人をして意思表示と判断させるような行動があったとしても、意思表示としての価値を認めることはできない、つまり不成立である。しかし、意思無能力者とは、不法行為法（七一二条）の用語を借りれば、行為の結果を普通人なみ（合理的）に「弁識スルニ足ルヘキ知能ヲ具ヘサル」者のことであって、精神活動能力のない者のことをいうのではない。したがって、「意思無能力者ノ行為ハ常ニ必シモ法律上行為ニアラスト云フヲ得ス　行為トシテハ成立スル」のである（富井「意思能力論」法学協会雑誌三三巻一〇号二三頁）。こうした考えかたは、現時の多くの学説に引きつがれている（我妻・民法講義二〇五頁、永田・新民法要義一巻二四二頁など）。

このようにして、かつては不可分と考えられていた「意思表示」概念と「意思能力」概念との離婚が完成し、意思無能力者の法律行為を語ることができるようになった。しかし、意思理論からすれば、行為者が効果を欲したとか、欲しないとかは、彼に、効果を弁識するに足る知能があってはじめていえることなのであるから、かかる知能のない者に、行為の効果を帰属せしめる余地はない。すなわち、意思無能力者のした法律行為は、「当然・絶対的・全面的」に無効である。これが現時の通説の立場であるが、念のため「　」内のことばについて若干のコメントをしておこう。まず、「当然」というのは、何人の主張をもまたず、の意味だと一般にいわれているが、公序良俗違反・強行法規違反の場合と異なり、民訴法上の弁論主義の適用まで免れるものではあるまい。つぎに、「絶対的」というのは、いつでもだれでも無効を主張しうるということである。したがって、一面からすれば、行為無能力者の行為とみられる場合であっても、意思無能力の証明があれば、行為能力・取消制度の適用はないことになる。もっとも、意思無能力者名義の法律行為は、権限の有無は別とし、実質的には、他の通常人の代理行為とみられる場合が多いであろう。判例は、さらに一歩を進め、「意思能力ナキ未成年者名義ヲ以テ為シタル法律行為ハ、反証ナキ限リ、其ノ未成年者自身ノ為シタルモノニ非ズシテ適法ノ代表者ニ於テ之ヲ為シタルモノト推定」している（大判大正九年六月五日民録二六輯八一二頁）。したがって意思無能力による無効は、実際には、容易に認められないことになる。また、「全面的」というのは、全部無効であり、かつ無効行為の転換を認める余地はない、ということである。

意思能力に関する無効説の機能的な意味

ところで、法律解釈の方法も時代とともに変化する。最近では、法律・判例・学説などを、この社会に錯綜し対立する利害の調整手段とみ、目的とか機能とかの関連において、その当否を考えてゆこうという傾向が強まってきている（利益法学、目的論的解釈、社会学的法学など）。ところが、従来の意思能力論は、意思表示概念ないし意思理論の演繹であって、目的とか機能とかについての考慮は、よし払われていたとしても、それは、うちに秘められてしまっているのである。いま、その秘められているものを考えると、つぎのようになるであろう。

意思無能力者の行為は、法律行為としては常に不成立・無効なのだといいきってしまうと、追認規定（一一九条）を適用しにくくなる。これに対し、実質的価値（効力）は否定してしまうにせよ、意思無能力者の法律行為を語りうる場合があるのだということになれば、追認規定適用のチャンス、したがってまた、追認のとき以降有効となるチャンスが生まれる。いずれが適当か。また、どちらの見解をとるにせよ、意思能力の挙証責任に関しては、行為の効果を否定する側で、意思無能力の挙証責任を負うとし、この責任を果たすことのむずかしさを回避しうる点に、行為能力制度のひとつの重要な機能があるとする点では、一致している。他方、民事訴訟法学では、一般に、法律行為の効果を主張する者は、成立要件について挙証責任を負い、効力要件については、行為の効果を否定する側で、その欠缺を立証しないかぎり、効力要件は充足されているものとして扱われることになっている（民訴法上の通説）。だから、意思能力に関する挙証責任についてのさきの考えを、民事訴訟の面に貫徹させようと思えば、意思能力は、法律行為の効力要件だといった方が得策である。これを妨げる特段の事情があるか。特段の事情もなく、また、追認規定適用の可能性を増大させた方がよい――最近は、無効な身分行為の追認すら認められるようになってきている（最判昭和二七年一〇月三一日民集六巻九号七五三頁）――というのであれば、意思表示概念から意思能力を独立させること、いいかえれば、意思表示概念を表示主義的につくりかえることが必要になる。

意思能力についての新しい考えかた

さて、こうした考えかたを押し進めてゆくと、通説も、絶対視されないようになってくる。まず、意思無能力による無効の主張は、意思無能力者側にのみ認めれば足り、相手方からの無効主張を封ずべきだとする学説がある（加藤・自習民法33問三一頁）。通説によると、意思無能力・無効の法理により、何を保護しようとしているのかは不明確である。上の学説は、このあいまいな部分に、意思無能力者保護という目的を設定したものであり、類似の考えかたは、すでに、錯誤による無効の場合にもみられるところである（我妻・前掲二五〇頁）。

さらに一歩を進め、行為無能力者については、意思能力の有無を問題とせず、常に、行為無能力・取消制度を適用すべきだとするものがある（薬師寺・日本民法総論上一〇六頁）。通説によると、意思無能力・無効の法理が優先するから、取消権消滅後も無効を主張しうることになりかねないし、行為無能力者の不当利得返還義務の特則（一二一条但書）を適用する上でも問題が生じる。さらに、意思能力の有無に関する証明の困難を回避しようとした行為能力制度の機能も害されるおそれがある。こうした配慮が、この学説の背景になっているものと思われる。ちなみに、通説の認める意思無能力の法理は、ドイツ民法とほぼ同じだが、民法行為能力制度の方は、ドイツ民法とかなり違っており（ドイツ民法一〇四条—一一五条）、系譜的には、フランス民法に近い。そして、フランス民法では、禁治産宣告前の行為についても、行為当時における喪心の事実が明らかなときは取り消しうる旨の規定があり（同法五〇三条）、宣告後の行為についても、意思能力の有無を問題とせず、取り消しうるにとどまるものと解されているようである。

いっそう徹底し、民法は意思能力のことを考えて行為能力制度をつくっているのだから、これと別に、意思能力を制度として認める必要はないとするものもある（舟橋・民法総則四五頁）。もっとも、この説に対しては、行為無能力者でない意思無能力者もいるのだから、ゆきすぎである、とする批判が多い。

意思能力についての諸学説の評価基準

以上述べてきたいろいろな学説をどう評価するかは、各人の選択の問題だが、選択にあたって、共通の物さしがあればいっそう便利であろう。それを提供しておこう。

おそらく、明文の有無にかかわらず、意思能力を法律行為の要件に加えることについては、何人も反対しないであろう。ところで、ある要件事実が欠けた場合に、それをどう扱うかは、すでにみてきたように、一あって二なきものなのではなく、その要件事実の価値・重要度に比例し、次表のように、種々の態様がある。

Ⅰ　不成立無効
- 絶対的……例・意思表示の欠缺
- 相対的……例・消費貸借の合意は、消費貸借としては不成立（五八七条）、その予約としてなら成立（五八九条）

Ⅱ　成立無効

- 絶対的……例・公序良俗違反
- 相対的……例・虚偽表示（九四条）
- 確定的……追認（一一九条）によっても有効になることがない。例・公序良俗違反
- 中間的……追認（一一九条）により、その時から有効となる。例・錯誤
- 不確定的……例・無権代理（一一六条）
- 有効行為への転換不可能……例・公序良俗違反
- 有効行為への転換可能……例・知事の許可なき農地の売買は、売買としては無効だが、その予約としてなら有効（農地法三条）

Ⅲ　取消し

- 取り消せば確定的無効
  - 絶対的……例・強迫・行為無能力
  - 相対的……例・詐欺
- 追認があれば確定的有効

さて、通説の認める意思無能力・無効の法理は、公序良俗違反の場合とくらべ、確定度の面で異なるのみで、他は同じである。ということは、意思能力の価値・重要度が、公序良俗に準じる程度に高く評価されている、ということである。これに対し、意思能力を私有財産の個別的な自治能力とみれば、一般的な私有財産自治能力の制度にほかならない行為能力制度との間に、あまり大きなへだたりを生じさせることはおかしい、ということになろう。

（篠　原　弘　志）

第三問　法律行為と訴訟行為とはどのような関連にたつか

私法上の法律行為の訴訟における意味

法律行為というのは、人が一定の法律効果を欲してする行為であって、法律効果すなわち権利関係の変動を発生させる要件のうちでも最も重要なものである。この法律行為によって欲せられる効果の実現は、法律によって保障されているわけであるが、このように法律による効果の実現の保障はどのような形で行なわれるだろうか。すなわち、法律行為によって欲せられた権利関係の変動を、相手方が否定し、これを争う場合に、どのような手段で法の救済を求め得るだろうか。民事訴訟制度は、このような私人間の法的紛争を解決することを目的とするのであって、法律効果の実現が法律によって保障されるというのは、法律効果が最終的には民事訴訟を通じて現実化されるという意味なのである。

ところで、民事訴訟制度の目的は紛争の解決にあるわけであるが、これを訴訟当事者の側からみれば、原告の主張する権利関係の存否＝法律効果の当否が判断され、確定されるという形をとることになる。したがって、私法上の法律行為は、裁判所が訴えによって主張されている権利関係の存否を確定する場合に、その権利の発生・変更・消滅、すなわち法律効果の要件として判断されるべき事実としての役割を果たす。しかし、私法上の法律行為（以下私法行為という）が訴訟上有するこのような役割は、それじたいで演ぜられるわけではない。私法行為がなされたということが、訴訟上、主張や抗弁の内容として陳述されなければ、私法行為のこのような役割は実現されないのであって、私法行為そのものが、直接に訴訟に対して影響を及ぼすことはないのである。すなわち、私法行為は、主張・抗弁などの訴訟行為を通じてでなければ、判決の内容である権利関係の存否判断を左右することはできない。

私法行為と訴訟行為のちがい

私法行為は、このように訴訟行為を媒介として、はじめて訴訟上意味をもつことになるのであるから、裁判外で私法行為がなされても、それだけでは訴訟上無意味である。このように、私法行為と訴訟行為は、その性質・機能においてはっきり区別されるようにみえるが、現実には両者が一体となって区別できないように現象する場合もあるので、両者のちがいを明らかにしておくことが必要となる。

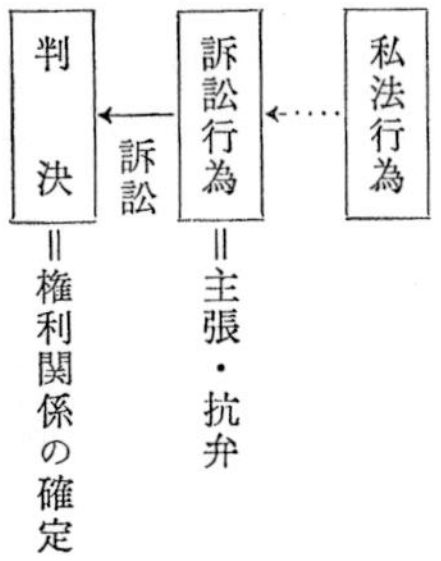

私法行為 ⋯→ 訴訟行為 ＝主張・抗弁 —訴訟→ 判決 ＝権利関係の確定

第一に、これら二種類の行為は、法としての体系を異にする実体法と訴訟法とによって、それぞれの要件・方式・効力が定められており、相互に独立した、無関係の行為である。したがって、両者が混在して一個の行為のようにみえる場合でも、両者の区別は明白に存在する。一定の行為を、訴訟法上の効果を目的とする私法行為とか、私法上の効果を目的とする訴訟行為とかいうような概念で説明する考えかたがあるが、このように次元を異にする効果を目的とする行為が存在するはずがなく、明らかに誤った考えかたである。

第二に、以上の前提のもとに、両者は異なった性質の規律に服する。私法行為は、訴訟行為と関連して行なわれる場合であっても（たとえば、裁判外で相殺の意思表示をし、訴訟上その事実を陳述する場合のように）、訴訟の帰趨と関係なく効力を保持するのに対して、訴訟行為は、訴えが取り下げられたり却下されたりした場合には、当然に効力を失うことになる。また訴訟行為は、訴訟手続の安定のため、および、国家の機関である裁判所における行為であるという点から、原則として外観・形式が重要視され、行為をした者の意思がどこにあったかということは問題とならないから、詐欺・強迫、錯誤などの事実によってはその効力は影響を受けない（もっとも、民事訴訟法四二〇条一項五号のような例外はあり、また訴訟契約のように、取消しの許される場合もある）。さらに、取消しや相殺の意思表示は相手方に到達しなければ効力を生じないし、また条件を付すことが禁止されている場合もあるが（民法五〇六条但書）、これらの私法行為がなされた旨の主張や抗弁は、裁判所に対してなされる陳述であるから、相手方が受領したか否かを問わず、相手方が出頭していない場合でも効力を生じ、相殺の抗弁も他の抗弁が容れられないことを条件として予備的に提出することが可能である。

このように、私法行為と訴訟行為とは明白に区別されるべきものであり、また区別できる性質のものであるが、訴訟行為にもいろいろの種類があり、必ずしも前述の原則がすべての訴訟行為にあてはまるとは限らない。裁判所に対して裁判やその他の行為をなすことを求める行為とこれを基礎づける行為は、取効的行為（その他にもいろいろの名称で呼ばれるが、Erwirkungshandlung の訳語である）といわれ、申立、主張および立証がこの種の行為である。それ以外の訴訟行為は、与効的行為（Bewirkungshandlung）と呼ばれ、申立、主張および立証以外の訴訟行為がこれに含まれ、訴訟契約や訴訟上の和解もこの種の訴訟行為である。前者は、ほとんど完全に訴訟法独自の規律を受けるが、後者、特に訴訟契約や訴訟上の和解は、解釈によっては私法上の契約と同様に意思表示の瑕疵にもとづく取消し・無効の認められる可能性もあり、この意味で、私法行為に類似する性質の行為であるともいえる。しかしながら、民法によるのと同じ規律を受けるからといって、必ずしも私法行為であるといい切れるものではない。

私法行為と訴訟行為の区別に関する学説

一定の行為が私法行為か訴訟行為かということを決定する基準はどこにあるだろうか。訴訟行為を私法行為から分離するためには、訴訟法上の効果を有し、その要件が訴訟法によって定められていることが必要である、とする説がある。また、要件までは訴訟法によって規定される必要はなく、訴訟法上の効果をもつ行為でありさえすれば訴訟行為となる、とする説がある。前者の説によると、訴訟法上の効果をもつ私法行為というような矛盾した概念が生まれてきたり、訴訟行為でもあり私法行為でもあるという行為が考えられたりして、本来厳密に区別されねばならない二つの行為の概念があいまいになる。

ただ、訴訟法上の効果を有する行為が訴訟行為であるとしても、なぜ、訴訟法にその要件の規定が無く、民法の規律を受けるものもあるのか、という問題が解決されなければ、私法行為と訴訟行為であるという根拠はどこにあるのか、民法により要件が規定されていても訴訟行為の区別が明確になったとはいえないであろう。この意味で、私法行為か訴訟行為かの区別に関し最も争いの多い三つの行為、すなわち、私法上の形成権行使の訴訟における主張、訴訟上の和解、訴訟契約をめぐる問題点をとり上げて、そこで論ぜられている両者の区別の基準を明らかにすることが有用であろう。

形成権行使の訴訟における主張

申立、主張、立証などのいわゆる取効的訴訟行為は、訴訟行為としての性格を最も強く有しているが、ここでも私法行為との区別につき争われている大きな問題がある。すなわち、取消し、相殺などの形成権が、裁判外で行使され、その事実が訴訟上主張された場合でなく、いきなり訴訟における攻撃方法または防禦方法として形成権の行使が主張された場合、この主張をどのように評価するかという問題である。これには三つの立場が考えられよう。第一は、一つの行為のようにみえるが、実質上は裁判外での相手方に対する形成権の行使とその事実の訴訟における主張とが併存しているのであって、いわば私法行為と訴訟行為が併存しているとみる説（併存説）である。第二は、両行為を分離することはできないが、それぞれの性質をそなえた一つの行為であるとする説（両性説）であり、第三は、純然たる訴訟行為であるとする説（訴訟行為説）である。

〔併　存　説〕

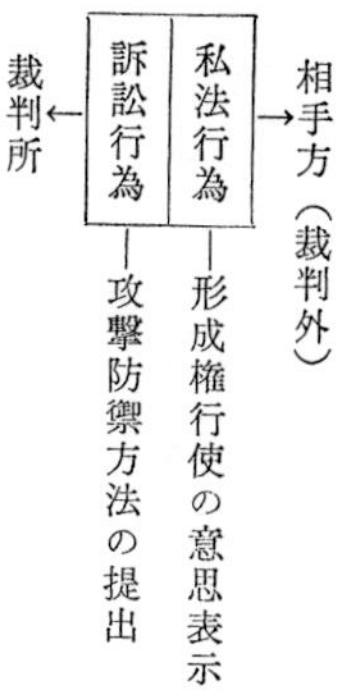

裁判所 ←	訴訟行為	私法行為	→ 相手方（裁判外）
	攻撃防禦方法の提出	形成権行使の意思表示	

〔両　性　説〕

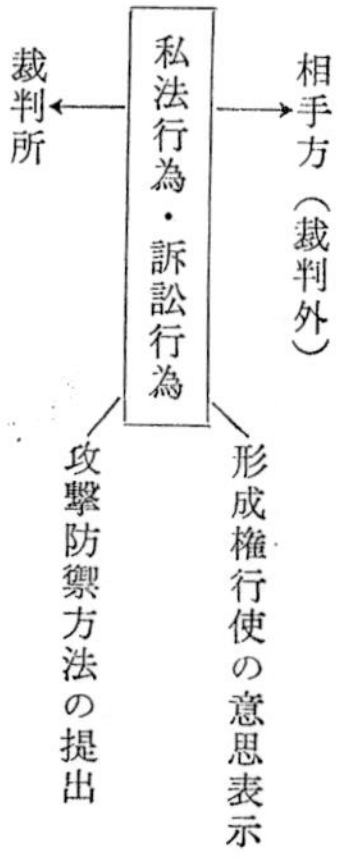

裁判所 ← 私法行為・訴訟行為 → 相手方（裁判外）

形成権行使の意思表示
攻撃防禦方法の提出

〔訴訟行為説〕

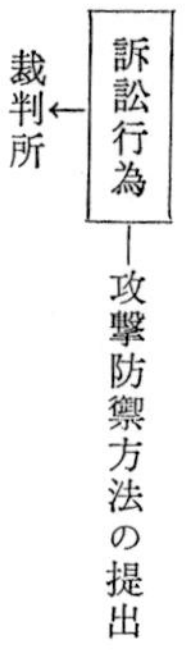

裁判所 ← 訴訟行為

攻撃防禦方法の提出

これらの考えかたを通じてみると、両性説のいうところの承認できないことは明らかであろう。私法行為、訴訟行為のいずれともつかない行為というものを考えることはできないし、訴訟行為としては相殺の抗弁は予備的に提出することができるのに、民法では相殺に条件を付することが禁止されているという矛盾を解くこともできない。これに対して、併存説によれば二つの行為があることになるから、このような矛盾は生じないが、訴えの取下げがあったり、訴えが却下されたりしても、私法行為としての効力は残るということになる（兼子・民事訴訟法体系二一二頁）。しかし、形成権行使の私法上の効果を望むのならば、裁判外で相手方に対してそれを行使すればよいのだから、無理に二つの行為があると構成する必要はなく、また当事者も攻撃防禦方法として形成権の訴訟上の行使を目的とし、その他に私法上の効果を望むことは直接意図されていないのだから、純然たる訴訟行為とみるべきである、という批判がある（三ケ月・民事訴訟法二八〇頁）。この考えかたによると、訴訟における形成権行使の主張は、要件・効果とも訴訟法の規定によるべきで、私法行為としての要素はまったく入ってこないから、相手方が出頭していなくても効力をもち、訴えの取下げ・却下があった場合には効力を失う、という結論が導き出されることになる。

訴訟上の和解は私法行為か訴訟行為か

訴訟上の和解は、いわゆる与効的訴訟行為のうちの合同行為または訴訟契約と解されているが、このような考えかたが必ずしも通説ではなく、純然たる私法行為とみる説、訴訟上の効果を伴う私法行為とする説、私法行為・訴訟行為併存説、両性説などがあり、訴訟上の和解というものの評価がいかに困難であるかを物語っている。この中で、両行為併存説、両性説および訴訟行為説が比較的有力であるが、訴訟上の和解の評価について最もむずかしい点は、これに私法上の和解と同じように意思表示の瑕疵による無効・取消しを認めることができるかという問題とからんで、私法行為か訴訟行為かという問題が提起されているからである。訴訟上の和解を私法上の和解と同一とみる立場（私法行為説）、私法上の和解と結合しているとみる立場（併存説）、または私法上の和解の要素をもそなえているとみる立場（両性説）などからすれば、訴訟上の和解は、訴訟終了および執行力の発生という訴訟法上の効果を生ぜしめるとともに、要素の錯誤などの無効原因があれば無効を主張することができることになる。これに対して、純然たる訴訟行為とみれば、このような意思表示の瑕疵による無効・取消しは認められず、再審事由にあたる事由がある場合に限って再審の訴えに準じた訴えによって和解調書の取消しおよび訴訟の再開を求めることができるのみとなる。

訴訟上の和解の無効を求めることが可能かという問題は、さらに、和解調書に既判力を認めることができるかという問題とも関連する。既判力を認めなければ、訴訟行為とみても、なお別訴の提起によって和解の無効の主張を認める余地があるだけに、必ずしも訴訟上の和解を訴訟行為であるとみる立場のすべてが、和解の無効を認めないというわけではない。これらの複雑な学説の分岐は、和解調書が確定判決と同一の効力をもつという規定（民事訴訟法二〇三条）のもとで、訴訟の和解について私法上の和解に準ずる取扱いを認めた方が実務上妥当であるということと、確定判決と同一の効力をもつという論理を徹底させることとの、矛盾から生じているのである。訴訟上の和解を純然たる私法行為とみる考えかたが誤りであるとしても、民法の規律の適用があるから私法行為と結びついた訴訟行為だとみるのが妥当か、民法の規定の適用があるからといって必ずしも私法行為としての面を有するのではなく、それじたいとしては訴訟行為に他ならないとする考えかたが正しいのか、さらに、民法の規定の適用はまったく排除され、訴訟法の規定によってのみ判断される訴訟行為なのか、という問題は依然として残される。ただ、訴訟上の和解の実情をそのまま是認してそこから出発するか、または訴訟上の和解の取扱いはこうあるべきであるという理想から出発するかによっても、結論が異なってくることに注意すべきであろう（裁判所で行なう和解だから要素の錯誤の余地がないように慎重に行なうべきだし、その内容・範囲も明確にしておくことが要請されるなど）。

訴訟契約

さらに訴訟契約も、私法行為か訴訟行為かの争いを生ぜしめる行為である。訴訟契約とは、訴訟上の効果を直接目的とする当事者の合意のことであって、管轄の合意、訴え取下げの合意などがこれに属する。これについては、合意の成立のための意思表示の合致、意思表示の瑕疵など民法の規定にもとづいて判断されるのが妥当であるために、訴訟法上の効果を目的とする私法行為とみる立場も存在する。しかし、民法の規定の適用があるから私法行為だとはいえず、訴訟行為であるとする説が有力である。

私法行為と訴訟行為を区別する意義

以上のように、個々の行為について私法行為か訴訟行為かを決定するには、その効果や要件などが民法によって定められているか訴訟法によって定められているかが基準とされ、効果だけの面から捉えようとする立場と効果および要件の面から把握しようとする立場とに分かれていることは既述した。しかし、一定の行為を訴訟行為と私法行為に分類することで終わるならば、このような問題の提起はそもそも意味がないことといわなければならない。すなわち、何れかの行為であることがきまるならばその行為についてどのような取扱いをすべきかが決まるという考えかたがあると同時に、これこれの取扱いがなされているから何れかの行為であるということが決まるというような考えかたがあって、これらが堂々めぐりを繰り返しているからである。これを断ち切るためには、訴訟法上の効果を生ずる行為ならば訴訟行為であると割り切っておいて、それに対し、なお民法の規定の適用の余地があるならばそれはなぜか、またどのような範囲で適用があるべきかを追求する、という考えかたに立つことが必要となってくるのである。

（染　野　義　信）

第四問　意思表示論において効果意思はどんな役割をもつか

意思表示の要素としての効果意思

効果意思は、表示行為とともに意思表示をくみたてている要素であり、これを欠いていれば、本来の意味での意思表示は成立しない。もちろん、効果意思を欠く意思表示の効力を、どのような場合に取り上げて問題にするかということは、立法政策に関することではあるけれども、その根底には、法律上意思表示に法律効果を発生させる効力が認められているのは表意者の効果意思が存在するからであり、それが意思表示において欠けていれば法律効果を生ぜしめ得ないはずだ、という思想が横たわっているのである。

ところで、意思表示が効果意思と表示行為から組み立てられているといっても、実際に表意者以外の外部の者が知り得るのは、表示行為の内容だけであり、真の意思がどこにあるかは推測による他はない。虚偽表示（九四条）の場合でも、相手方は効果意思の欠缺を知り得ても、第三者はこれを知るはずがない。このことは、訴訟上効果意思の存否が問題となった場合のことを考えれば明らかであろう。効果意思の存否が主要事実として証明の対象となったとしても、これを証明する直接証拠は存在しないはずであって、間接事実を証明してそれから直接事実の存否を判断する方法しかない。モーター・バイクを買うつもりで、原動機付自転車を買う意思表示をした場合、後者を買う意思がなかったことを証明するにはどうしたらよいか。原動機付自転車を最近買ったばかりであるという事実を証明して、ゆえに不必要であって買う意思があるはずがないという推論へもって行くか、相手方から取り寄せたカタログは全部モーター・バイクに関するものであるという事実を証明して、そこから推論させるか、何れにせよ困難な証明となることは確かである。

表示主義への傾斜の必然性

訴訟においてさえこのように困難な問題を惹きおこす効果意思の存否は、現実の取引においては、なおさら確定が困難なことはいうまでもない。裁判所における証拠調べのように細かな点まで調べることは、迅速を要求する取引に合致しないし、またそうしなくても、意思表示があればそれに見合った効果意思が存在するのが当然のことであって、深く追求する必要はないのが通常であろう。そうなると、内心の効果意思の存否を重視するよりも、表示行為から推論し得る、いわゆる表示上の効果意思——これなら表示行為という外形から明確に捉えることができる——を中心に、意思表示をくみたてることが望ましいことになる。もちろん、このような表示主義を徹底させることは、意思主義の全面的な採用と同じように不合理な結果を導くことになろうが、何れにせよ、効果意思の存否によって法律効果が左右されるという制度を全面的にとることができないのは当然であろう。

ところで、わが民法は、内心的効果意思の欠けている――いわゆる意思の欠缺、意思と表示の不一致――意思表示を、表意者の、欠缺に対する認識いかんによって分類し、認識している場合を心裡留保、虚偽表示とし、この認識のない場合を錯誤として、それによって生ずべき効力を定めている。それと同時に、表意者の認識している意思欠缺を相手方が知る立場にあるかどうかも、一つの分類の基準としていることがわかる。すなわち、虚偽表示と心裡留保の例外の場合には意思表示を無効とし（九三条但書・九四条一項）、心裡留保一般は有効とする（九三条本文）というように、相手方の認識いかんに効力の発生をかからしめているのである。これをまとめると上図のようになる。

内心の効果意思の欠缺

表意者	相手方	意思表示	効力
認識	認識	虚偽表示	無効（善意の第三者に対抗できない）
	（心裡留保の例外）	心裡留保	無効
	無意識		有効
無意識		錯誤	無効（要素の錯誤に限る。表意者の重過失があれば、自ら無効を主張できない。）

これを見ると、まず、表意者みずから効果意思の無いことを知らない場合（要素の錯誤）には、原則として意思表示を無効とし、そ

れを認識している場合には、相手方の認識があれば無効、そうでない場合には有効としていることがわかる。

意思欠缺における相手方の認識の意義

したがって、要素の錯誤の場合のように、表意者自身も意識しないような意思の欠缺がある場合には無効とすることにして、表意者を保護し、他方みずから認識して意思と一致しない表示行為をする場合には、他人のそれに対する認識いかんに有効・無効の限界を画せしめていることになる。後者の場合には、内心の効果意思の存否という証明困難な事実と同時に、他人の認識いかんという事実も有効・無効を決定する基準となっていることに注意すべきであろう。他人の認識という事実も証明困難であるようにみえるが、内心の意思の証明に比べれば、遙かに容易である。現実の認識の証明ばかりではなく、表意者の真意を「知ルコトヲ得ヘカリシ」(九三条)事実の証明は、必ずしも困難ではない。まして、虚偽表示の場合のように、通謀の可能性からその事実を立証することに問題は無いだろう。ということは、少なくとも外部から、意思の欠缺を推しはかり得る手がかりがあれば無効となり、それがない場合には意思表示の効力を保たせる、ということになる。結局、このような規定によって、効果意思の欠缺による効力の存否という問題を、主観的な事実のみによらしめずに、多少なりとも客観性を担保できる要素を加えて判断できるような制度を成立させている、とみることはできないだろうか。

ところで、要素の錯誤の場合には、表意者を保護するために意思表示を無効とするのだと説かれている。だが、これに止まるのだろうか。相手方が要素の錯誤を知り得る可能性も効力の判断に影響しないだろうか。

たとえば、通常の保証のつもりで連帯保証人になるとする。表意者が法律の知識が無いのに連帯保証の意味も説明せずにその債務を引き受けさせたとすれば、要素の錯誤による無効を主張させても当然である。しかし、表意者が法律知識に通じていて連帯保証の何たるかを知っているとすれば、相手方はよもや錯誤によるとは思うまいから、たとえ通常の保証と思って引き受けたとしても無効とはできないのではないだろうか。とすると、要素の錯誤による無効を主張できるのは、相手方が錯誤を知る可能性があったということも要件となるように思われる。

ただ、この場合に、相手方が知る機会があったかどうかという問題は、現実にそれが要素の錯誤じたいかどうかという問題と同じだといえるかも知れない。先の例でいえば、前者のような状況のもとでは意思表示は要素の錯誤によるものであり、後者のような事情のもとでは要素の錯誤は存在しなかったといえる。しかし詳しくみると、要素の錯誤そのものを証明する事実と、相手方がそれを知りうる機会があったことを証明する事実が、重なり合っていることがわかる。一方では要素の錯誤の存否、他方では相手方のそれを知りうる機会の存否を証明する事実の共通することが、通常の場合における要素の錯誤の特徴なのであって、このことは動機の錯誤の場合と比べてみると明らかであろう。動機の錯誤は、この二つの事実が重なり合わない場合である。

動機の錯誤とは、効果意思を決定する過程で錯誤があったことを指すから、これによって決定された意思と表示は一致し、したがって要素の錯誤とはいえないとされている。たとえば、五千円の真珠一粒を、疵物と思って八百円で売った場合には、その真珠を八百円で売ろうという効果意思と表示は一致することになり、アラフラ海の真珠を売るつもりで普通の半円真珠を売った場合とは事情が異なってくる。つまり、特定の真珠を売ろうという効果意思

通常の錯誤

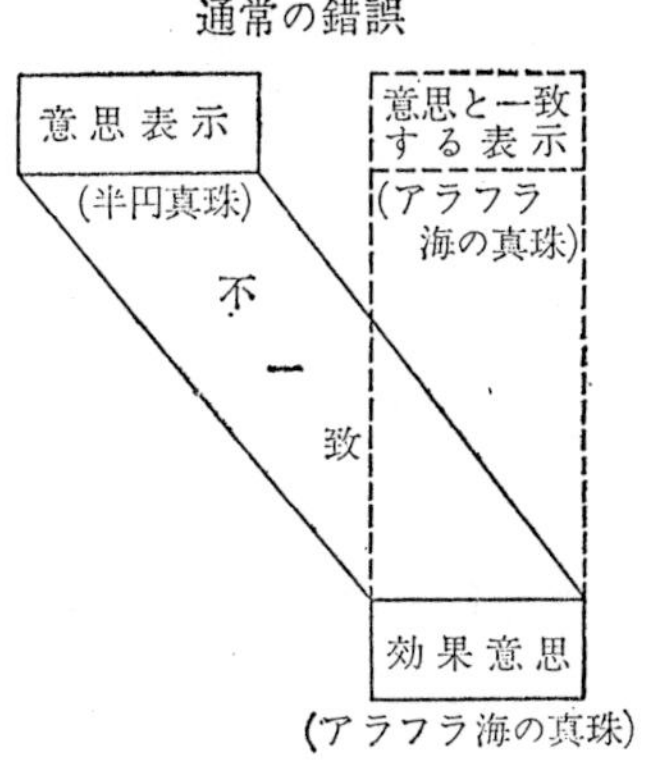

動機の錯誤

とそれを売るという意思表示には不一致はなく、その真珠を疵物と思って八百円で売ろうという効果意思の決定に際して錯誤があったと説かれている。

動機の錯誤に関する判例・通説

通説および判例は、このような、いわば形式的な観点から、動機の錯誤は要素の錯誤にあたらないとし、ただし、その動機が表示された場合にかぎり、要素の錯誤に準じて取り扱うべきものとしている（戦後の判例として、最判昭和二九年一一月二六日民集八巻二〇八七頁がある。学説については、我妻・民法総則二四六頁、末川・全訂民法(上)九二頁、柚木・改訂民法(上)一五一頁など参照)。おそらく、動機の錯誤は、通常の要素の錯誤と異なり、錯誤たることを相手方が知る機会のないこと、表示された場合にはこのような機会が発生することなどを前提として、こうした取扱いが導き出されたのであろう。ここでは、意思表示の効力の問題が、表意者の内心から離れて、取引の安全、相手方の利益という面からしぼられてきていることに注意しなければならない。

動機の錯誤に関する少数説

以上の通説に対して、批判的な考えかたが最近では比較的有力となってきた（舟橋・民法総則一〇七頁、川島「意思の欠缺と動機の錯誤」民法解釈学の諸問題一八八頁以下、谷田貝「錯誤と動機」民法演習Ⅰ一三四頁以下。中川編・民法一四三頁はこの説に同情的である)。批判の要点は、これら通説の考えかたがあまりにも形式的であること、また、実際上要素の錯誤の生ずる大部分の場合は動機の錯誤であるから、これを要素の錯誤から締め出すことは取引の現実にそぐわないこと、さらに、動機の表示をもって法律行為の効力に影響を及ぼすというのは論理の破綻であること、などである。このような少数説からの批判は、効果意思さえ表示と一致していれば要素の錯誤は存在しないという通説の前提を覆すものであって、極めて示唆に富むものといえよう。

通説の立場は、意思理論に拘泥することによって、動機の錯誤を要素の錯誤から締め出すに至ったわけで、その結果、相手方の保護、取引の安全の保障を欠くことになり、これを免れるために、「動機の表示」があった場合には（要素の錯誤ではないが）、要素の錯誤に「準じて」その規定を「擬制」する、という矛盾を生ぜしめたのではないだろうか。

効果意思の形式的特定に対する疑問

意思表示の効力を、その内容とされる効果意思の形式的な特定にかからしめることは、動機の錯誤という問題で繕いがたい破綻をみせているように思われる。この点で、動機の錯誤をはじめ大部分の錯誤にあっては、表示された効果意思に対応する内心の効果意思はいちおう存在するのであって意思の欠缺とはいえず、むしろ、既存概念を用いれば瑕疵ある意思表示だ、という川島教授の説は検討に価するのではないだろうか。もちろん、無効と取消しの間に法律効果としての大きな差異がある現行制度の下では、理論構成としての正しさのみに終わるであろうけれども、要素の錯誤より排除した動機の錯誤を、その動機が表示されているという理由のみをもって、それによる法律行為が影響される、という通説の立場の前提を成している考えかたが、反省されてよい段階に至っているように思われる。

むしろ、要素の錯誤一般を、意思表示にいたる過程の錯誤として、効果意思の成否にかかわらずに把握し、その錯誤につき、相手方が知りうる可能性を有する場合に限って無効とする、と構成することは不可能だろうか。この場合には、動機の錯誤は表示されないかぎり意思表示の効力に影響を及ぼさないとする通説と、結果としてはほぼ同じになり、また、動機の錯誤によって意思表示の効力を左右することは相手方の利益を害するとする通説の思想は、動機の錯誤が相手方に知れがたいことを裏返したものに過ぎないといえよう。つまり、通説がその結論を伝統的な意思論を通して導き出す結果論理の破綻をきたしているのとは異なった別の論理によって、このような結論を導き出すことができるのではないだろうか。

通常の要素の錯誤においては、目的物・内容などの錯誤によって、その錯誤たることを相手方が知りうる機会をもつわけであるし、動機の錯誤においては、その機会が少ないという相対的な差があるに過ぎなくなろうし、また、証明という点では、要素の錯誤一般では、錯誤たることを証する事実と相手方が知る機会があったことを証する事実とが大部分共通するのに対し、動機の錯誤の場合にはこのような現象は少なく、したがって錯誤たることの証明と相手方の認識の機会の証明が困難となるわけである。このように相手方の認識の可能性を意思表示の効力の要件と考えれば、心裡留保・虚偽表示に対する考えかたと共通の場が開かれるのではないだろうか。

（染野義信）

第五問　時効によって権利の得喪を生ずるか

時効は権利の得喪を生ずるとする説

――時効によって権利の得喪を生ずるか、などという問題は、それじたいおかしいのじゃないでしょうか。

――そうでしょうか。

――だって民法は、取得時効について「所有権ヲ取得ス」（一六二条）・「其権利（所有権以外ノ財産権）ヲ取得ス」（一六三条）といい、また消滅時効について「債権ハ……消滅ス」（一六七条一項）・「債権又ハ所有権ニ非サル財産権ハ……消滅ス」（同条二項）といっています。疑いようもなにもありません。

――なるほど、それはそのとおりですが、それですべてを押しとおせるか問題です。時効にかかった債権を訴求したら裁判は負けですか。

――相手は時効を主張しないのですか。

――しないのです。

――それなら裁判は勝訴です。「時効ハ当事者カ之ヲ援用スルニ非サレハ裁判所之ニ依リテ裁判ヲ為スコトヲ得ス」とされているからです（一四五条）。この点は説の分かれるところで、ぼくは、時効による権利の得喪が援用を停止条件として生ずるという、もっとも簡明な説にしたがっています。この立場では、援用がないかぎり債権は存在し、その請求の訴えは認められます。

―― 有力説の立場ですが、少し無理な点もありそうです。「取得ス」・「消滅ス」といっているのを停止条件的にそうなるのだというのにはよほど強い根拠がいるでしょう。「消滅ス」を「援用アリタルトキハ消滅ス」と変えて読み、消滅の効力を不確定にするのですからね。その根拠の一四五条は「之ニ依リテ裁判ヲ為スコトヲ得ス」とあって、裁判外には触れていません。普通の読みかたでいけば、裁判外では消滅しているが、裁判上ではそう扱わないといっているようにとれます。

―― そうかもしれませんが、そう解すると実体法の扱いと訴訟法の扱いとが別になってしまうので困るのです。

―― そんなことはないでしょう。実体法上権利があろうがなかろうが、立証が伴わなければ訴訟法の救済は受けられません。問題は、時効の主張を証拠方法と考えられるかどうかによります。その立場で困るのは、むしろ消滅時効完成後の弁済を有効視するために贈与を考えねばならなかったり、同様の場合の承認に新債務の成立を擬制しなければならないことの方にあり、これを説明するために多少の無理を我慢したのが停止条件説といえましょう。

――そういうものでしょうか。

時効援用後の債務の弁済――その有効性の説明

――それでは、消滅時効にかかった債権についていったん時効を援用したものの、あとで余力もできたため思い返して弁済した、という事例を考えてみましょう。その債権はもう完全に消滅しているわけだから、この弁済をそのままにさせるためには、あなたの立場だと新しい贈与とその弁済があったとでもいいますか。もちろん、当事者は、時効を援用した債務の弁済のつもりで、贈与の意思などほんのかけらほどももってはいません。それとも、それは非債弁済にあたり、弁済は不当利得として返還すべきだ、いや、弁済者は債務の不存在を知っているから狭義の非債弁済として返還しないでもいい(七〇五条)、などと説くつもりですか。返すというのもあまりぴったりせず、時効を援用してから支払うほどの者は債務の不存在を知っていたともいいがたい面があります。

――どうも、そういう弁済を返せというのは気持の上でいやなのです。援用にもかかわらず債務はあって、弁済は有効とはいえないものでしょうか。

――わたしはかつて、時効援用後の債務は一種の社会的債務であって、法はこれにタッチしない。たといそれが支払われても、法は当不当の判断を加えず、不当利得の問題も生じない、すなわち返還は要しない、と説いたことがあります(高梨・債権法総論八一―八三頁)。確定判決があるようなときはこれでゆくよりしかたなさそうですが、裁判外で援用されたに止まるときや、たとい裁判上で援用されても二審の判決前なら、もとの債務を弁済させてやりたいです。

―― 条件的消滅説ではそうはいかない、というわけですか。

時効完成後の弁済・延期証の差入れ――時効援用権消滅の説明

―― さらに今度は、時効完成後に弁済や延期証の差入れがあったという場合を考えてください。いうまでもなく、時効完成前なら時効利益の放棄は可能です(一四六条の反対解釈)。完成後の放棄はこれとこと変わって、すでに時効援用権が発生している場合ですから、この時効援用権を消滅させる意味で行なわれないかぎり意味がありません。つまり、時効援用権の放棄がないといけないわけです。弁済や延期証の差入れが、そういうつもりでされている場合はよいとして、時効の完成を知らず、もちろん時効援用権などのあることも知らずに弁済し、あるいは延期証を差し入れたというときは、それらは無意味な行為であり、時効による権利の得喪は依然として妨げられずに存在するものでしょうか。

―― その点は問題です。たとい時効完成後でも、そういう行為のあったときは、時効の効果はなくなるものと考えたいのですが、それをどう理論構成していったらよいか。時効完成を知らないで弁済し、延期証を差し入れているのですから、時効援用権を放棄する意思があったとはいいにくいわけです。停止条件説の立場だと、時効の完成はあっても援用のないうちはなお債権は存在するわけで、その際弁済や延期証差入れがあれば、それによって債務の存在は確定される、いわば一種の承認があったと考え、時効の効果を否認することになります。

——少し無理でしょう。承認は時効中断原因ではあるでしょうが(一四七条)、発生した時効援用権を消滅させる原因とまではいいにくそうです。時効完成前に中断事由があれば、時効の基礎である権利の行使あるいは不行使状態は破れたわけで、時効期間があらたに進行しはじめることになっても当然です。ところが時効完成後はそうはいかない。訴求したって時効を援用されれば敗訴する。権利の存在を承認したって、それが時効援用権放棄の意思表示と解されないかぎり、同じように時効を援用されて敗訴にいたるべきです。権利の存否を承認することは、その権利についての時効援用権を消滅させる根拠とはなりにくいのです。

——そういえばそんな気もします。

時効を証拠方法とみる説

——そういう問題意識をもって、時効によっては権利の得喪は生じないのだ、という立場が再評価されることになってきます。この立場では、時効は権利の得喪そのものを生じさせるものではなく、ただ権利の得喪に対する動かしえない証拠方法に過ぎないのだと考える、いいかえれば、ある事実状態が一定期間継続したときは、これに応ずる権利の存否については一々立証する必要なく、ただその事実だけを主張・立証すれば、これをもって立証に代えることをうるものとみるわけです。援用がなければ「裁判所之ニ依リテ裁判ヲ為スコトヲ得ス」(一四五条)は当然の事理、「取得ス」・「消滅ス」(一六二条・一六三条・一六七条)は援用があった場合の裁判上の扱いを定めたに過ぎないと考えてゆくのです。実体法上の権利と裁判による判断の矛盾を、時効を証拠方法とみることによって解決し、一方、援用を重視する停止条件説をさらに極限まで進めたものともいえるでしょう。

―― しかし、実体法である民法のなかに、訴訟法的な証拠方法の規定を大幅に認めたことになってどうだろうか、という批判はありそうですね。

―― それはありましょう。手痛い批評ですが、民法のうちにだって挙証責任とか、裁判上の行使を要する権利とか、また出訴期間とかいうような問題が含まれることもあるわけで、そう非難されるには価しないかもしれません。

―― まあ、それはそれとして、時効証拠方法説でいくと、いままで問題にしてきた諸点はどのように説明されることになるでしょう。それが問題です。第一、第二の点は、要するに裁判上の援用があって判決が確定するまでは時効による権利の得喪はないということになるわけですね。

―― そうです。だから、第二の問題で挙げた、いったん時効を援用したけれどあとで気が変わって弁済したというようなときも、援用が裁判外なら問題なくもとの債務の弁済になるし、裁判上でも二審の判決前なら証拠方法を撤回したものと考えてやはりもとの債務の弁済になると考えてよいでしょう。援用があった以上、得喪の効果は動かしえないものとして発生していると解すれば、こうした場合の処置はかなりむずかしいものになります。

完成後の弁済・延期証の差入れと証拠方法としての時効の基礎喪失

ところで最大の問題は、時効完成後の弁済や延期証差入れをどう説明して、時効効果を否定するかという点にありますね。これに時効援用権放棄の効果意思を認めることはどう考えても無理で、それはせいぜい権利の存在を知っていることを認めること、つまり承認という観念の通知があるだけと解するほかありません。ところが、こうして権利の存在を知っていると表示することは、明瞭かつ強力に永続する事実状態の非権利性を客観化したことになりますから、それが普通権利性に合する高度の蓋然度があるということにもとづいて認められた時効援用権の根本基礎を破る結果になります。すなわち時効援用権は消滅すると解するのです。したがって、弁済や延期証差入れが、時効完成を知って行なわれることも、時効援用権を放棄するつもりでなされることも、どちらも不必要です。権利の存在がたしかだという義務者の自認があったことが、その不存在がたしかだという蓋然性に立脚して認められている証拠方法を崩壊させてしまい、時効援用権は自壊してしまうわけです。

——なるほど。では、それと同じ理窟を停止条件説の説明で利用できないでしょうか。援用のないうちは債務は存在するのだから、弁済や弁済すべき意思の発表は債務の存在を確定する、とも説けそうに思いますが。

——いや、その利用は違うでしょう。時効を証拠方法と考えるからこそ、義務者の承認という、いわば最強の証拠が出たことによって、それが使えなくなるとも説けるわけですが、時効をもって援用を契機とする権利得喪原因と考えては、援用権発生後に生じた承認が援用権そのものを消滅させうると説くのは困難のように思います。

証拠方法説による解釈論の違い二つ

——そのほかにも権利得喪説と証拠方法説の間には違いがあるわけでしょう。

——そうですね。得喪説が時効によって新たな権利の得喪を考えるのに対し、証拠方法説はむしろ旧権利の容認とみるわけで、この点から不動産の時効取得と登記との関係が違ってきます。前説では、不動産が時効取得されその登記を経ないうちに他人に譲渡され、この方は登記を済ましたというようなときは、時効取得をもって登記ある他人に対抗できないことになります。後説だと、少なくも時効起算点を繰り下げて時効取得を対抗できるものと考えるでしょう。時効期間完成後登記を取得した他人に対して、とくに従来の権利者と別扱いする要を認めないのです。また、時効援用権者なども、権利得喪説では直接権利を取得、義務を免れるものに限るか、間接にそうであるものでよいか議論がありますが、証拠方法説では訴訟上利益をもつ者とし、間接に権利を取得、義務を免れる者を含めやすいと思います。

適用結果による学説の吟味

——自明のように思えることについても、議論は尽きないものですね。時効が真実の権

時効についての二つの考えかたの比較（債権の消滅時効について）

	時効完成の意味	援用の意味	援用後の弁済	完成を知らぬ弁済	時効完成時点
権利得喪説―停止条件説	時効の援用を条件として――債権は停止条件付に消滅	債権は消滅	有効とするためには、贈与とするか――その意思認定が困難　非債弁済を知ってしたとするか（七〇五条）――援用後債務の不在を知るかが問題	有効とするためには、承認とみるか――時効援用権がなくなる理由を説きにくい　時効利益の放棄とみるか――完成を知らぬ者に放棄の意思は認めがたい	起算点から数えて一定
証拠方法説	債権消滅の動かしえない証拠として時効を援用できる状態の発生――債権は存続	裁判外では、債権は存続、裁判上では、証拠方法の提出――債権は存続	有効――証拠方法を撤回しただけ	有効――証拠方法である時効は反対の証拠によって基礎を失い消滅、放棄の意思は不要	証拠提出の時、起算点を繰り下げうる

利に反する事実を保護することには反撥を禁じえなかった時期もあったのですから、それを真実への強い推測と考え直す証拠方法説は相当魅力的に感じます。もう一回個々の事例を検討してみた上で、権利得喪説の非倫理的ムードと袂別できるか、自分の考えをきめてゆこうと思います。時効によって権利の得喪を生ずるという問題はそれじたいおかしいなどということだけは、いずれにしても、今後はいえなくなりました。

（高　梨　公　之）

第六問　登記請求権の本質はどう理解さるべきか

中間省略登記と登記請求権

――登記請求権の法律上の性質をどうみるかという問題は、ずいぶん抽象的な議論に終始しているようにみえますが、具体的にはどのような場合にそのちがいが現われてくるのでしょうか。

――そうですね。もっとも典型的には、中間省略登記の効力を認めるかどうかという問題ではないでしょうか。

――登記請求権を、実体的な権利の変動に即して当事者間に生ずるものとみる説によれば、中間省略登記は認められないことになるし、いわゆる物権的請求権説、つまり登記請求権は現在の実体的な権利の効力として生ずるとする説によれば、中間省略登記はできるということになりますね。それでも、中間者の同意があれば、中間省略登記は有効だというのが、現在の判例・通説となっているのではありませんか。

――例の、大正一一年の大審院判例（大判大正一一年三月二五日民集一巻一三〇頁）以来のことですね。この判例は、中間者は転売によっても自己の登記請求権を失わないのだから、中間者の承諾を得ないで直接譲渡人と転得者の間で移転登記をすることができるとするならば、中間者の登記請求権が害され、不利益を蒙るに至る、とするわけですが、この筆法でゆくと、権利変動の結果登記請求権が生ずるという説を認めるように思われますが。

——この判例が成立するまでの、中間省略登記に関する判例をみると、有効説・無効説が対立していますが、必ずしも登記請求権の本質から有効・無効の結論を出しているわけでもありませんね。

中間省略登記において中間者の同意を必要とする根拠

——むしろ、中間省略登記によって当事者が不当な不利益を蒙る可能性があるかどうかによって、結論が異なってきているのであって、登記請求権の問題とは直接関係していないように思えます。

——中間省略登記によっていちばん不利益を蒙るおそれのあるのは中間者なのですから、その同意を得ることによって全当事者間の衡平をはかることができるとしたのではありませんか。

——そうですね。たとえば、転売の場合ではありませんが、被相続人から譲り受けた者が移転登記をしなかった場合に、相続登記をした相続人に対しては直接移転登記を請求できるとした事例（大判大正一五年四月三〇日民集五巻三四四頁）がありますが、この場合には、本来なら相続登記を抹消してから被相続人に対し移転登記をすることを求めるべきであるにもかかわらず、当事者に不利益を生ぜしめないという理由で、直接の移転登記を認めています。

――そうすると、有効説・無効説が必ずしも対立しているわけではなくて、中間省略によって権利が害される者がいれば無効とすべきではあるけれども、そうでないかぎりは有効とみてかまわないということになりますね。

――ですから、中間者の同意といっても、形式的なものではなく、いろいろな状況から中間者の権利が侵害されないということが認められれば、中間省略登記も有効だというわけではありませんか。

――中間者が、特に同意はしなかったけれども、不同意の意思を表した事実もなく、省略によって害される利益もなく、さらに中間者が譲渡人に対して有する登記権利者としての権利を保全するのに適切な方法を講じなかった場合には、中間省略登記の抹消を許さないとした判決（名古屋高判昭和三〇年九月一七日民集八巻八号五六一頁）などは、そのことを明らかにしたものでしょう。

物権変動の過程と異なった登記をどう考えるか

――要するに、中間省略登記のように、物権変動の過程と異なった過程を示す登記であっても、それによって関係当事者の利益が害されなければ、有効と認めてもさしつかえないというわけですね。一般に、物権変動の過程や態様と異なった登記でも有効と認められる場合がありますが、これも、関係者の利益がそれによって害されることが無いからだとみてよいのでしょうね。

——たとえば、未登記建物の譲受人がする保存登記や贈与を売買としてする登記などですね。判例は、最初無効とし、後に有効としており、学説もこれを支持しているわけですが、このような判例の傾向は、登記は実体的な権利関係の現在における真実の状態を表わしていれば足りるのであって、登記請求権は実体的な権利の効力として生ずるのだという、いわゆる物権的請求権説と結びついているのではないでしょうか。

——それと同時に、その背景には、こうした権利変動の真実の過程と態様を登記に反映させなくても関係当事者の利益を害さないという前提がひそんでいるように思えますが。

——判例が登記請求権の本質について一元的な説明をしていないのも、あるいはこのような背景があるからかも知れませんね。

——もちろん、登記制度の理想からいえば、物権変動の過程と態様を、忠実に登記に反映させることが望ましく、単に、現在における真実の状態を表現しているだけでは不十分かも知れませんが、登記をめぐる当事者がそれを望まず、かつそれによって何らの不利益をも蒙らない場合についてまで、厳密に物権変動の歴史的な経過を映し出す必要があるかどうか。

——しかし、そうだからといって、現在の権利の状態を示せば足りるというのでは、中間省略登記の場合の中間者のような、登記に権利変動における真実の過程と態様を示すことに利益をもつ者の存在を無視することになるし、また、無制限に真実の過程や態様と異なる登記を認めることは、取引の安全を害すること甚だしいということになります。

――何れにせよ、登記請求権の本質に関する学説の根底には、公信力を欠くわが国の登記制度の下でどのように理論構成をしたら、もっとも十分に取引の安全を確保できるか、という配慮が存在するように思えますが。

――そうですね。登記請求権を物権的請求権とみる立場からしても、たとえば中間省略登記のような、頻繁に行なわれる登記の方法を無効とすることによって、不動産取引に非常な不安定さをもたらすという観点から、登記は現在における権利の状態を忠実に示していればよいのだという結論が出てくるでしょうし、登記請求権は物権の変動に応じて生ずるとみる説においても、登記に公信力がないため、不動産を譲り受けようとする者が過去に遡って権利変動の真実の態様と過程を確かめなければならず、そうした態様と過程がその通り登記に反映していないとそれを確かめるすべがない、したがって、取引の安全を害する、と説くのでしょう。

――ですから、どちらにしても、取引の安全性という目的に副うような理論構成をとるものでありながら、その現われかたが異なっているということになりますね。

――ということは、わが国の登記制度が公信力を欠いていること、したがって、そこから生まれてくる取引の不安定さをどのように防ぐかということが困難な問題となっているからではないでしょうか。

――つまり、どちらの学説を徹底させても、現在の権利者の利益、かつて権利者であった者の利益、あるいは将来権利者となるべき者の利益の何れかが害されるという結果になるわけですね。

登記請求権の捉えかた

――ですから、これらすべての者の利益を公平に保護しようとするためには、登記請求権の本質を一元的に割り切ることがむずかしくなってきますね。

――ただ、理論の問題と、現実にどのような方法をとればこうした関係者の利益を保護できるかという問題とは別ですし、また、登記請求権をどのように捉えるかということと、そうして捉えられた登記請求権にもとづかない登記が有効か無効かということとを別問題としてみれば、必ずしも一元的に説明できないわけではないでしょう。

――ということは、登記請求権の性質は何か、それはどのような場合に発生するかという問題とは別に、そうした登記請求権にもとづかないでなされた登記でも場合によっては効力をもつということですね。

――つまり、登記請求権を、実体的な物権の変動毎に発生するものだとみて、したがってその内容は物権変動の過程と態様を忠実に表現する登記を請求する権利だと把握する立場をとっても、こうした請求権の内容に副わない登記であっても、現在の権利状態に一致する限りは有効とみるわけです（我妻・物権法八五頁参照）。

――そうすると、物権的請求権説の立場と結果的には同じことになりはしないでしょうか。

――しかし、物権的請求権説によると、現在の権利状態に一致する登記請求権が内容となるわけですから、中間省略登記の場合においては、中間者の利益が無視されるということになりますね。ところが、先に述べた立場に立てば、中間者は常に真実の物権変動の過程と態様を示す登記に訂正できる権利をもつことになります。

――ただ、判例は、中間省略登記の場合に限って中間者の同意を必要としていて、学説のように、全面的に中間省略登記を有効とはみていませんね。そこまで徹底できない理由があるのでしょうか。

――やはり、具体的な事件においては、関係当事者の公平な利益の保護が主眼になりますから、中間者が甚だしい不利益を蒙る場合に、それでもなお中間省略登記を有効とはなし得ないのではないかと思います。また、中間省略登記以外の、物権変動の過程や態様と異なった登記は、それぞれ関係者の利益が一致するからこそ行なわれるのであって、誰も不利益を蒙る者はいないわけですが、中間省略登記に限って、中間者という、登記によって不利な立場に置かれる当事者が存在するので、特にその利益を考慮する必要があるのだと思いますね。

――結局、物権変動の過程と態様を、忠実に登記に反映させることが、登記制度としては望ましいわけですが、物権変動の当事者としては、登記に伴う費用や煩雑さを少なくするために、変動の過程や態様を真実と異ならしめた登記をするという現象が必然的に生じてくることになりますね。そうした登記を有効と認める傾向が辿られつつあるということは、将来権利者となるべき者の、過去の物権変動を確かめようとするための便宜を犠牲にしても、現在の権利者を保護しようとする方向へ、判例および学説が動いてゆくということを意味しているのでしょうね。

――二つの学説も、共にこうした傾向に立脚していることは確かですね。

登記請求権に対する判決の既判力

――ところで、登記請求権に対する判決の既判力は、実体上の権利関係の存否にまで及ぶとした判例がありますが（大判昭和一二年四月七日民集一六巻三九八頁、兼子一・判例民事訴訟法二八九頁）。

――この判例の立場は、物権的請求権説につながるものがありますね。不動産物権のように、その変動に登記という象徴が必ず伴うものにおいては、登記請求権だけを独立の訴訟物として、これだけに既判力を認めるとすると、背後の物権は存否が確定されず、勝訴判決を得た者は改めて所有権確認の訴えを起こさなければならないという二重の手間がかかることになるので、登記請求権の存否の判断において、物権の存否についても判断したとするならば、これに既判力を認める方が便利であることは確かでしょう。

――しかし、この論理はすべての登記請求権の主張について適用できるわけではなく、物権の変動がないのにあったような登記がなされた場合に、その抹消を求めるというように、実体上の権利の存在を前提としている登記請求権の主張に限られるわけでしょう。また、判決理由中でそうした権利の存否について判断がなされた場合という限定もあるでしょう。

――つまり、登記請求権が物権的請求権のような性格をもっている場合に限られるというわけですね。

――これによると判決理由中の判断に既判力が及ぶということになってしまいませんか。

――ですから、このような訴えにおいては、むしろ物権の存否そのものが訴訟物を成し、抹消に協力すべしという請求は派生的なものだとみるわけです。

――しかし、登記請求権を主張する訴えをすべてそのようなものとみることはできないわけですし、場合に応じて異ならしめることになると、訴訟物や既判力の客観的範囲の特定があいまいになるというおそれがありますね。それに、この論理を推してゆくと、物上請求権にもとづく返還請求についても、背後の物権に既判力が及ぶという結果になってしまい、既判力の客観的範囲特定に関する原則が破れるわけです。ですから、この判例の云うところは、具体的な事件については妥当するようにみえても、全面的に認めるにはむずかしい問題が残されているといえるのではないでしょうか。

（染　野　義　信）

第七問　不動産の取得時効も登記なくしては第三者に対抗しえないか

取得時効制度の存在理由

甲・乙間で所有権の帰属が争われ、目的物の占有者甲が、取得時効を援用し、時効の完成が認められると、真の所有者が何人であるかを問わず――たとい時効を援用した者が所有者であったとしても（大判昭和九年五月二八日民集一三巻一一号八五七頁）――、甲は、起算日に遡って所有権を取得したものとみなされる（一六二条・一四四条）。この結果をみると、取得時効は、一定の占有状態の継続をもって所有権の証明に代える制度、すなわち法定証拠制度ということができる（旧民法は、時効制度を証拠編中に規定していた）。もっとも、このことと、このような制度が設けられた理由とは、区別しておかなければならない。時効制度の存在理由としては、周知のように、つぎの三つがあげられる。(1)法律関係・取引関係の安定のために永続した事実状態を保護する必要があること、(2)古い事実関係を挙証することは困難でもあり、また、永続した事実状態を保護することは、多くの場合、真の権利関係に符合するとみられること、(3)かりに、真の権利関係と異なるところがあったとしても、長く権利の上に眠っていた者は保護に値しないこと。

問題の所在

ところで、係争目的物が不動産で、右の乙が、Aからこれを譲り受け、その旨所有権移転登記を経由しており、他方、甲主張の取得時効が、Aから乙への移転登記以前に完成していたとすれば、所有権は、甲・乙いずれに帰属することになるであろうか。

判例の見解

この問題について、判例は、はじめ、取得時効の結果、Aから乙への不動産譲渡は無権利者の処分行為になるから、所有権は甲に帰属する、と判示した（大判明治四三年一一月一九日民録一六輯七八四頁）。しかし、やがてその態度を改め、あたかも、Aが甲・乙両名に前後して同一不動産を譲渡した場合と同視するようになった。すなわち、物権変動の当事者間（Aと甲）では登記はいらないが（大判大正七年三月二日民録二四輯四二三頁）、第三者（乙）との関係では、登記なくしては時効取得を対抗しえない（大連判大正一四年七月八日民集四巻四一二頁）。その際、第三者の善意・悪意は問題にしなくともよいが（最判昭和三三年八月二八日民集一二巻一九三六頁）、登記に符合する実体上の権利をまったく有しない者は、時効取得者に対し、登記の欠缺を主張することができない（最判昭和二四年九月二七日民集三巻四二四頁）。また、時効を援用する者は、「任意ニ其ノ起算点ヲ選択シ、時効完成ノ時期ヲ或ハ早ク或ハ遅ク為シ以テ対抗要件ノ存在ヲ不必要トナラシムルコト」はできない（大判昭和一四年七月一九日民集一八巻八五六頁）。なぜか。「時効制度の本来の性質からいえば、いわゆる起算日は常に暦日の上で確定していなければならないものではなく、起算日を何時と定めたにしても……不合理であるとはいえないであろう。しかし、時効による権利の取得の有無を考察するに当っては、単に当事者間のみならず、第三者に対する関係も考慮しなければならぬ」からである（最判昭和三五年七月二七日民集一四巻一八七一頁）。もっとも、移転登記のあと、改めて時効が完成している場合には、登記なくして時効取得を、現在の所有名義人（乙）に対抗できる（最判昭和三六年七月二〇日民集一五巻一九〇三頁）。

つぎに、このような判例法に対する学説の評価をみてみよう。

取得時効は、永続する一定の占有状態を保護する制度であり、したがって、その占有状態が、二〇年とか一〇年とかの時効期間を超えて続くときは、いっそう、時効の利益を享受せしめうるはずなのに、判例理論によると、時効完成後直ちに登記をしておかないかぎり、時効の利益を受けられなくなるし、また、善意占有者よりも悪意占有者のほうが時効完成が遅れるため、かえって時効利益を受ける可能性もでてくる。このような評価に関するかぎり、学説は一致する。しかし、それからさきは一様ではない。

まず、判例理論を全面的に否定する学説がある。元来、取得時効制度は、真正の権利者やその変動、さらには登記の有無などにかかわりなく、現在の時点からさかのぼって、時効期間を計算し、法定証拠をつくる点に意味があるのだから、時効の完成が認められるかぎり、第三者への対抗などを問題にする余地はない、というのである（末弘「時効期間の逆算」民法雑記帳上二〇六頁、川島・民法Ⅰ一九二頁、藪「一七七条の第三者（時効・相続との関係）」民法演習Ⅱ二四頁）。

第二に、右の見解を原則的に承認しつつ、つぎのように説くものがある。確定判決により時効取得が認められた場合は、これまで占有と不可分の関係にあったゲヴェーレ的所有が、近代的な観念的所有権に転化したのだから、近代法の一般原則にしたがい、それ以後は、登記なくして第三者に対抗しえないことになる（舟橋・物権法一七二頁）。

第三に、判例法のうち、時効の起算点に関する部分を修正し、どの時点を起算日とするかは援用者の選択にまかせるべきだとするものがある（柚木・判例物権法総論一二七頁、勝本・物権法概説上一一三頁）。この学説の特色は、いちおう、公示方法としての登記制度を尊重しつつ、実質的に、対抗要件の存在を不必要にしてしまおうとする点にある。

第四は、判例法を全面的に支持する立場である（我妻・民法講義Ⅱ七六頁、末川・物権法一二五頁）。これによると、第三者の登記後、占有者が、引き続き時効取得に十分な占有を継続すれば、登記なくしてその第三者にも時効取得を対抗しうるのであるから、登記は、時効中断事由と同じはたらきをすることになる。

判例・学説は時効制度の存在理由とどう結びつくか

さて、問題に直接アプローチするにしても、また、判例・学説の当否を考えるにしても、共通の尺度は、取得時効制度の趣旨である。しかし、取得時効制度は、それだけで孤立しているわけではないのだから、他の諸制度との関連を考えなければならないし、また、不動産取引の実情も無視することはできない。このことを念頭において、問題を検討してみよう。

取得時効は、はじめに述べたように、真の権利関係のいかんを問わず、一定の占有状態が継続する場合に、占有者を所有者とみなす制度だが、その背後には、そうすることが、多くの場合、真の権利関係に一致するであろうという、蓋然性の高さに対する信頼がこめられていた。この点では、「占有者カ占有物ノ上ニ行使スル権利ハ之ヲ適法ニ有スルモノト推定ス」る規定（一八八条）も同じである。むしろ、正確にいえば、取得時効制度は、この推定規定を前提にし、それを一歩進めたものなのである（我妻・前掲三三一頁、兼子「推定の本質及び効果について」民事法研究一巻三二七頁——なお、ついでにいえば、占有者は、所有の意思で占有するものと推定されるから、一八八条により推定される一次的な権利は所有権である。したがって、占有者が他の意思、たとえば賃借人の意思で占有すると主張するものは、その意思を認めさせるに足る占有取得原因・賃貸借契約を立証しなければならず、それが尽くされてはじめて賃借権が推定されることになる）。ところで、現時の大部分の学説は、立法当初と異なり、不動産物権については、登記に推定力を認め、本条の適用を否定している。否定しないまでも、登記の推定力が占有の推定力を上回るものとしている。だから、登記上の所有名義人と占有者との間で所有権の帰属が争われ、他にみるべき証拠がないような場合には、登記上の所有名義人を所有者とみなすことになる（大阪高判昭和三八年二月二八日判例時報三四八号二三頁）。

このように、一方で、不動産物権に関する占有の推定力（法定証拠力）を否定しておきながら、その延長線上にある取得時効の法定証拠力を高く評価することは、矛盾することになりはしないか。

さらに問題なのは、具体的事件で、取得時効の証拠力がくつがえされ、真の権利関係との不一致——より正確にいえば、時効制度の適用がなかったならばかくあるはずの権利関係と、時効取得を認めた場合の権利関係との不一致——が明らかになった場合である。時効制度の本来の建前からすれば、時効の成否だけが問題で、そのようなことはありえないはずなのだが、民法は、取得時効の要件として、「所有の意思」、「平穏・公然」、「善意・無過失」などを掲げているため、——現在の時点からさかのぼって時効の成否を考えようと、また、起算点を当事者の選択に任せようと——右の要件事実の立証をとおし、かような事態が生じうるのである。これを、さらにつぎの二つに分けて考えてみよう。

(イ) A（所有者）↕B（時効援用者・非所有者）

(ロ) A（所有者または関係的所有者）╱╲C↔B（時効援用者・非所有者または、Aから不動産を譲り受けたが登記がない者）（Bの相手方・AからB占有中の不動産を譲り受け、登記を経た者）

さて、(イ)の場合、Aは、観念的所有権の上に眠っていたのであるから、Bの時効取得を認めることに、さしたる抵抗を感じないであろう。また、(ロ)の場合でも、Cの譲受後、現在までの時点の間に時効の要件がみたされていれば、Cは、(イ)の場合におけるAと同様、権利の上に眠っていたといってよい。しかしそうでない場合は、むしろ、Bこそ、ゲヴェーレ的ないし用益的所有の上に眠っていたといえよう。しかも、かかる場合に、Bの時効取得を認めることは、時効制度の主要目標である「取引の安全」にそむく結果になる。

判例およびこれを支持する学説は、およそ以上のような価値判断に基づいてくみたてられたものと推測される。しかし、価値判断そのものの正当性と、それをどのような論理(法的構成)で実現するのが適切かという問題とは、おのずから別である。たとえば、つぎのようにいうこともできる。取得時効は、要するに、一定の占有状態が二〇年なり一〇年なり続けば占有者を所有者と認めてしまう制度なのであるから、現在の時点からさかのぼって時効の成否をきめるか、あるいは、援用者に、起算点の選択をまかせるべきものである。しかし、時効の効力、すなわち時効による物権変動は、起算日にさかのぼるのであるから(一四四条)、その時を基準にし、当事者間(起算日が、Cの登記前であればA、登記後であればC)では登記は不要だが、第三者に対しては、登記なくして時効取得を対抗することはできない。――以上は、表現形式が異なるだけで、実質的には、判例およびこれを支持する学説とまったく同じである。

不動産取引の実情からみた場合、問題をどう処理するのが適当か

しかし、他方、不動産取引の実情も考える心要がある。不動産取引に際し、登記面が重視されることはもちろんだが、それに劣らず、不動産の現状・占有状態も重視されている。それなのに、占有者(時効援用者)の権利関係を確かめもせず、よし確かめたとしても、占有

者から時効の主張を受けることを予期しながら、あえて不動産を譲り受け登記を済ませたような者を、保護する必要があるだろうか。その必要がないというのであれば、第一説から第三説までのいずれかによることになる。

取得時効制度の矛盾

ところで、多くの人々は、おそらく、登記を経由してはじめて、「完全」な不動産物権の得喪を意識するに違いない。国もまた、登記上の所有名義人を対象として、不動産に関する税金を課している。これをうらがえしていえば、登記名義なき時効取得者は、あたかも内縁のようなもので、多くの場合、彼自身においても、不完全所有者としての意識しかないのではなかろうか。そのようなところで、登記面を無視して時効取得を認めた民法の構成じたいに、古さないし時代のズレがある。旧民法においてすら、法律行為により不動産の占有を取得した者については、登記なくして取得時効を主張しえないものとしていたのであり(旧民法証拠編一四一条)、また、ドイツ民法では、三〇年間所有者として登記され、かつ、その間自己のために占有することをもって、不動産に関する取得時効の成立要件としている。判例法が、そうした方向をめざしていることはいうまでもない。

(篠　原　弘　志)

第八問　対抗要件と妨害排除とはどんな関係をもつか

妨害排除請求権と対抗要件の近代的意義はどこにあるか

物に対する支配が法秩序により権利として認められている場合、この支配に対する妨害の排除は、権利を保護するために、物を支配する地位にある者について当然に認められなければならない。ところで、このような権利の性質として、中世ゲルマン法のゲヴェーレ（Gewere）のように、物に対する事実的支配と権利とが不可分の形をとっている場合には、支配に対する妨害の排除を求める地位は、常に事実的支配と運命を共にし、これと離れて観念することは不可能であったといえる。これに対して近代法においては、権利は、物に対する事実的支配と切り離された抽象的な権原として現われ、したがって権利者が物に対して何らかの事実的支配を行なっていたか否かにかかわりなく、観念的な権原にもとづいて、妨害を排除することを求める地位が認められることになる（川島武宜・所有権法の理論一〇五頁以下参照）。

所有権を中心とする物権の、近代法におけるこのような抽象的・観念的性質は、物が商品として、支配の対象であると同時に流通の対象となったことにより、物、特に土地に対する支配の維持・確実化を目的としたゲヴェーレ的秩序とは無縁のものであることを意味している。こうした前提の下に、商品の流通する過程、すなわち物権の変動は、現実の支配の移転を伴うことなく、観念的な意思表示のみによって行なわれることになり、物を支配する権利が、ゲヴェーレの移転、すなわち事実上の支配を移転させるための特別の形式を必要とするという、封建社会における原則が否定されることになる。その反面、物権の変動が商品流通過程として把握される近代社会においては、この過程が他の商品流通過程から独立した孤立的なものではなく、複合的な体系を構成しているところから、このような過程に入りこむ者に対して、意思表示のみによって物権の変動が生ずることにすると、物権変動の当事者については十分であるとしても、商品流通過程そのものが不安定となり、物を商品として把握しその流通を保障するという近代法秩序の理念が揺らぐことになる。したがって、物権の変動を第三者に公示し、これに対しても物権変動を主張しうるための要件、すなわち対抗要件が定められているのは、こうした理由からである。

対抗要件

対抗要件とは、広くは一定の法律上の事実や法律効果の存否を他人に主張するために必要とする法律要件を指し、主なものは物権変動および債権譲渡の公示方法としての対抗要件である。妨害排除請求権との関係で問題となるのは、前者としての対抗要件であるが、すでに述べたような前提のもとにこれをみると、それは、物に対する事実的支配を表象するものではなく、観念的・抽象的な権利じたいの変動を公示して、流通過程にある第三者にそれを主張することを可能ならしめる要件に他ならない。したがって、物権変動について対抗要件を定めた法の意図は、物権変動につき意思主義の原則を採用することによって、商品流通過程の正常な運行が乱されるのを防ぐことにあり、この過程に対する法による保障をより完全にするための機能を期待しているわけである。

ところで、妨害排除請求権を主な内容とする物権的請求権は（物権的請求権の本質については種々学説が対立しているが、ここでは触れない）、その物権の本来の内容の実現が妨げられている場合に、物権者がその侵害の除去を請求できる権利であって、このような権利が認められているのは、商品としての物を支配する物権を、その実現に対する障害を除いて完全なものとすることに、法秩序の強い要請があるということを意味している。すなわち、近代社会においては、物に対する私的支配を絶対的なものにするために、所有権をはじめとする物権の制度が認められているのであり、物権だから妨害排除を求める権利が発生するというのではなく、支配を排他的・絶対的なものにするために、物権の制度が認められているということになるのである。したがって、妨害排除請求権は、近代社会を支えている経済的基盤である商品流通過程において、商品である物についての、主体による支配を完全なものとするという意味で、権利の濫用とならないかぎりは、何人に対しても主張しうるものである。

ところで、商品流通過程は、商品の面から捉えれば、物権の変動の過程である（物権行為の独自性が問題になることからわかるように、物権変動は契約と離れがたく結びついている)。一連の物権的請求権を潜在的に有することによって、物に対する支配を完全なものとすることが保障されている物権については、その変動を商品流通過程に加わる者に公示させ、商品流通の一つの過程がそこで終了したことを明らかにすること、すなわち、対抗要件をそなえることが必要とされている。それによって、その商品の支配の主体たる物権者が変わったこと、その段階からまた新たに商品の流通過程が始まることを、その商品の流通に加わり、または加わろうとする者に明らかにすることができるからである。

ところで、ゲヴェーレの体系の下では、物を支配する権利と、その物に対する事実的支配とは分離できなかったから、ゲヴェーレの移転という事実的支配を移す形式を踏まなければ、権利を移転することはできなかったし、またこの形式を完全にそなえた権利でなければ、妨害の排除を求めることもできなかった。このような権利の表象のもつ意義が、近代法においても期待されているかどうか、つまり、対抗要件をそなえた物権でなければ、侵害に対し排除請求をすることができないのかどうか、が問題となろう。

物権の変動は、不動産については登記(一七七条)、動産については引渡(一七八条)がなければ、第三者に対抗できないことになっている。この規定を字義通りに解釈すれば、先に述べた問題について肯定的に解するより他はないであろう。すなわち、登記または引渡という要件を具備しなければ、侵害者に対して妨害の排除を請求できないということになる。しかしながら、対抗要件および妨害排除請求権のもつ意義を考えれば、こうした結論が不当であることはいうまでもない。もともと対抗できないという意味は、物権の変動を主張することが必要となる場合にそれを主張できないということだから、物権の変動を主張することが必要な範囲、つまり商品流通の過程に第三者が関与する範囲において対抗の問題を考えればよいので、流通過程を離れた無限の第三者にまで、物権の変動を公示する必要はないことになる。そこで、どのような場合に対抗を必要とするかという問題が、第三者とは何かという面において追求されねばならなくなってくる。

登記がなければ対抗できない第三者の範囲

不動産物権の変動について登記を対抗要件とした一七七条の規定に関し、第三者とは何かが争いの対象となっているのは以上のような背景があるからであり、結局は、物権の変動に関与する第三者をどのような概念から特定すれば、物権の変動についての法的関係を安全に保ちうるか、という角度から検討がなされているわけである。かつては、判例・学説ともに、第三者に制限を付さないという態度をとっていたのに対し、最初に制限説を明らかにしたのは、有名な明治四一年の大審院連合部判決(明治四一年一二月一五日民録一四輯一二七六頁)であるが、これによると、本条にいう第三者とは、「当事者若クハ其包括承継人ニ非スシテ不動産ニ関スル物権ノ得喪及ヒ変更ノ登記欠缺ヲ主張スル正当ノ利益ヲ有スル者」を指すとされている。

その後、第三者をどのように把握するかという点で学説は多数存在するにいたったが、判例も学説も第三者を制限すべきであるという点では一致し、異説をみなくなった。

ところで、この判例の立てた原則は、それじたいとしては正当なものであるが、必ずしも具体的なものではなかったため、学説はこの原則をより具体的な基準とするため、さまざまな定義づけを行なっている。すなわち、「当該不動産に関して有効な取引関係に立てる第三者」を統一的な基準とし、これにもとづき各類型的な場合に応じて基準を立てるもの（我妻・物権法（民法講義II）九七頁以下）、「問題となる物権変動と両立し得ない権利関係に立つ者、云いかえれば、問題となっている物権変動が有効であるとすれば否認されざるを得ない権利を有する者」を指すとするもの（川島・民法I総論・物権一六八頁）、「物的支配を相争う相互関係に立ち、かつ登記に信頼して行動すべきものと認められる者」に限るとするもの（舟橋・物権法（法律学全集18）一五六頁以下）などで、何れも、先述の判例の示す原則に依拠しながらこれを具体化したものに他ならない。

侵害者は第三者か

こうした学説・判例をみると、何れも、物権にもとづく妨害排除の対象となる者、すなわち不法行為者については、これを第三者の範囲から除き、登記がなくても対抗できるとしている。対抗要件がその物権の流通過程に加わる者に対してのみ必要とされることから考えれば、その過程とは関係のない侵害者に対してまで登記による対抗要件の具備を必要とするという考えが排斥されるのは当然であり、先の判例も、「同一ノ不動産ニ関シ正当ノ権原ニ因ラスシテ権利ヲ主張シ或ハ不法行為ニ因リテ損害ヲ加ヘタル者ノ類ハ皆第三者ト称スルコトヲ得ス」と述べている（この考えかたによると、不法行為者が、登記名義人である譲渡人に損害賠償を支払った場合には、二重払いをしなければならないという問題が生じ、制限説の欠点とされたが、これは債権の準占有者に対する弁済（四七八条）の理論によって解決された）。

ただ、この場合において、物権の移転とともに妨害排除請求権も当然に移転するかという問題があるが、物権的請求権を物権そのものの効力であるとみても、あるいは、債権類似の権利であるが物権と運命を共にすると構成してみても、物権的請求権は物権の移転とともにこれに付随して移転することは当然であろう。したがって、たとえば甲の所有する土地の上に乙が不法に家を建てた場合、甲がその土地を丙に譲渡して未登記の状態にあっても、丙は乙に対し、家屋収去および土地明渡を求めることができるのであって、乙は登記の欠缺を理由に丙に対してはこのような義務を負わないということを主張できないことになる。

不法占拠者による建物の譲渡と土地所有者との関係

逆に、甲所有の土地の上に乙が権限無しに家を建て、その家を丁に譲渡して移転登記をしないでいる場合、土地所有者甲は乙に対して建物収去を求めることができるだろうか。つまり、この場合の甲が、登記がなくては対抗できない「第三者」にあたるか、乙はその建物を譲渡したことを理由に建物収去義務が無いと云い得るか、という問題である。判例はこの場合には、甲は「第三者」に該当しないから乙に対して建物収去を請求できないとした（大判大正九年二月二五日民録二六輯一五三頁、同昭和一三年一二月二日民集一七巻二二六九頁）。学説の中には、この結論に反対し、登記のない譲受人も不法占拠者と認めてもよいが、登記を移転しない者も不法占拠者と認めることができるとする説（我妻・前掲一〇四頁）もある。しかし、多くの学説は判例を支持し（川島・前掲一七一頁、舟橋・前掲一九八頁）、土地所有者の、地上建物所有者に対する請求権そのものは、登記欠缺の主張の如何にかかわらず存在すること、あるいは、土地所有者は建物についてはまったくの無権利者であるからそこに対抗問題は起こらないこと、などの理由からこれを説明している。土地所有者甲は、その所有地上の建物じたいの流通過程に加わる者ではないから、判例の立場は支持されるべきであろう。

ただ、建物明渡請求の訴えが起こされてから建物が譲渡されると、土地所有者の物権的請求権の行使に甚だしく不都合が生ずることになる（特定承継の場合には、包括承継の場合とちがって、承継人は当然には訴訟当事者とはならないから）。この場合には、原告から建物の譲受人に対し訴訟の引受を申し立て、譲渡人は訴訟から脱退するという形で当事者を交替させることができる（民事訴訟法七四条一項・三項）。また、口頭弁論終結後に譲渡された場合には、譲受人は譲渡人の得た判決の既判力・執行力を受けるから（民事訴訟法二〇一条一項、四九七条ノ二）、土地所有者は譲受人を債務者とする承継執行文を得て、これに対し強制執行を行なうことができる（大決昭和五年四月二四日民集九巻四一五頁、兼子一・判例民事訴訟法三〇〇頁）。したがって、不法占拠者による建物の譲渡につき登記が欠けていることを土地所有者が主張できないとしても、土地所有者の保護に欠けることはない。

以上は、不動産に関する妨害排除と対抗要件の関係であるが、動産についても、引渡がなければ対抗できない第三者は、不動産の場合に準じて制限的に解され、動産の侵害者は「第三者」にあたらないものとされている。

最後に、妨害排除請求権が物権以外のものにまで拡張されて認められるかという問題において、占有未取得の利用権的債権（たとえば不動産賃借権）にこれが認められるために対抗力を備える（たとえば、罹災都市借地借家臨時処理法一〇条による）ことが条件となるとする判例がある（最判昭和二八年一二月一八日民集七巻一五一五頁、同昭和二九年二月五日民集八巻三九〇頁など）。しかし、すでに述べたように、対抗要件は、妨害排除を請求しうるための前提ではなく、また、物権的請求権は物権であるから認められるのではなくして、このような形での法の保護を受けるに必要な程度の排他性を権利に付随させることが要求されていることによって認められていることを考えれば、こうした考えかたに疑問が生ずるのは当然であろう。

（染野義信）

第九問　抵当権の実行方法は民法の期待を満足させているか

抵当権の実行方法における特徴は何か

抵当権は、これによって担保される債権が弁済されないときに、その抵当物件を競売してこの競売代金より優先的に弁済をうけるということを本来の機能とする権利である。この場合における抵当物件の競売のことを抵当権の実行というのであって、こうした競売は抵当権者の申立により直接競売法を通じて行なわれるものであるところから任意競売といわれている。通常、競売という場合には、国税徴収法による競売、民事訴訟法上の強制執行における競売、競売法上の競売の三つの種類があるが、この中で民事訴訟法上の競売は、金銭債権についての強制執行において執行機関が差押えた財産を金銭に換える手続の一つである。したがって、この場合は債務名義の存在を前提とするものであり、特に、不動産に対する金銭執行として債務者の不動産を売却してその代金で債権の弁済にあてるものである場合は、強制競売といわれる。ところで、抵当権の実行としておこなわれる任意競売は、右のような債務名義の存在を前提としてなされるものではないという点に特徴があり、また、この点にその制度の限界も存在しているのである。

しかしながら、目的物件の換価・満足という観点でみた場合、まず、金銭債権を主張して特定金銭の支払を求める給付の訴えを起こし、訴訟の進行につれて攻撃防禦のかぎりを尽くして第一審判決をえ、ときにはそれから控訴・上告を経て判決が確定してから債務名義を獲得し、強制執行に移ってゆく、という民事訴訟法上の強制執行における競売とくらべて、かなりの迅速性が抵当権の実行については認められていることは疑う余地がない。

この点を指摘してみると、第一に、抵当権実行の要件は、被担保債権についての履行遅滞と抵当物件の第三取得者に対する通知（三八一条）であり、これらの要件を具備すれば直ちに競売手続に入ることが許されるのである。

第二に、適法な競売の申立があれば、物件所在地を管轄する地方裁判所は競売開始決定をし、これを一方では物件所有者に送達し、他方では競売申立の登記を嘱託すると（競売法二五条・二六条）、この競売開始決定には物件に対する差押の効力が生ずる（いわゆる関係的処分禁止の効力）。つぎに、裁判所は競売期日を定め、この期日に競落人となった者に対する競落許可決定をなし、競落人に対する権利取得の登記を嘱託し、物件の法的な移転を完了せしめるのである。

以上のように、抵当権の実行方法としての競売は、かなり簡便な手続を踏んで行なわれるのであるが、なぜにこのように簡易なのかというと、もともと、抵当権実行方法としての競売は目的物件についての権利を所有権者から抵当権者に移すだけの手続であるという本質的要請が存在していることにもとづく（学説はこれを私法上の売買であるとし、あるいは公法上の処分であるとみる。斎藤秀夫・競売法（法律学全集39）三二—三四頁参照）。

このように、同じ競売というかたちをとっても、強制競売のように国家権力によって債務者から権利を剝奪して売却するのと異なり、任意競売は、抵当権の実行として目的物件についての権利の移転を行なうにすぎず、個人のする売渡の手続を国家が代わって行なうのにすぎないのであるから、両者の間に実質的な相違を認めざるをえないのである。また、この観点から、任意競売の制度は民法の要求を満足させるためには不徹底であるという批判もでてくるのである。

どんな点が批判されているか

さて、それではどんな点に抵当権の実行方法に対する批判が向けられているのであろうか。

その基本的な問題点は、前述のごとく任意競売における権利の移転は私権の実行の結果として行なわれるにすぎないのであるから、たとい競落許可決定があり競売手続が完了したのちにおいても、すでに債権が弁済によって消滅していたり、抵当権設定行為が無効であったというように、競売手続の基礎となった私法上の権利の瑕疵が争われると、競落の効果が根底から崩されてしまうということ、いいかえれば、競売の基礎たる権利が絶えず不安定な状態におかれるという点にあろう。しかしこれは、抵当権の実行方法といった私権の行使として行なわれる権利の移転に必然的に生ずる不安定性なのであって、強制競売との比較という点からみても、抵当権の実行にそれ以上の効果の実現を期待することはできないのである。

しかしながら、抵当権の実行に関連して生ずる実体的な諸問題は、その競売の基礎となった権利をめぐって生ずる場合が多いことに注意する必要があろう。たとえば、抵当権の実行として競売の申立をするにあたり、この抵当権が未登記であってもよいとするのが判例・通説である。これは、もともと登記は第三者に対する対抗要件であるから、当事者間では登記の必要がない、という理由にもとづいている。当事者間では登記が必要がないというのなら、抵当権設定の対象となった目的物件の所有権が未登記であり、この未登記所有権につき抵当権設定があり、これまた未登記である場合に、抵当権実行が許されるであろうか。この場合の競売申立は許されないとするのが判例・通説である。しかし、それなら如何なる理由にもとづくのであろうか。

当事者間では対抗要件の問題が生じないのであるから競売が許されてもよいのではないかという疑問が生じようが、これを否定する理論構成は、競売申立があった旨の登記嘱託をうけた登記官吏が、登記義務者と登記簿上の所有権者が符合しないため登記ができないので嘱託を却下する以外に方法がないし、これでは競売裁判所としても競売手続のすすめようがなくなってくるからだ、という点にある。このことは、所有権の取得についてまだ移転登記を完了していない新所有者（前主との間では有効に所有権が移転しているが）がその不動産上に抵当権を設定した場合を想定してもよいであろう。問題を嘱託登記の可否にのみおく点で疑問なしとしない（競売を売買としてとらえ、また、他方では所有権移転について中間省略を許していることから）。

第三取得者に対する通知と異議の濫発

適法に抵当権を有する者が、その抵当権を実行しようとするときには、まず、民法三七八条に規定された第三取得者にそのことを通知しなくてはならない（三八一条）。これは、抵当不動産について所有権、地上権または永小作権を取得した第三者に、抵当権を滌除する権利を行使する機会をあたえようとする趣旨にもとづく。滌除権者は、抵当権者から右の通知をうけるまではいつでも滌除をすることができ（三八二条一項）、通知をうけても一ヵ月以内なら滌除をすることができる（同条二項）。このため抵当権者は、こうした滌除権者による滌除の申出ができなくなるまでの間は競売の申立ができない（三八七条）。したがって、第三取得者による滌除権の行使を可能にするという目的をもつ三八一条の通知は、抵当権実行のための要件の一つに数えられる。もし、この通知をしないで抵当権の実行に入ると、違法として競売申立は却下され、その競売開始決定は異議があれば取り消される。

このように抵当権実行の手続における第三取得者の発言権はかなり強大であって、ときには、この第三取得者よりの異議・抗告によって抵当権の実行はかなりの影響をうけざるをえない。このために「この制度はその反面において通知欠缺を理由とする抗告を濫発せしめて抵当権の実行を阻害しつつあること甚だしいものがある」(柚木・担保物権法(法律学全集19)二八七頁)という非難が投げかけられているのである。しかし、その救済手段となると、通知の要求を厳格にして真に滌除をしようとする者の範囲にとどめるようにすべきだといった解釈上の努力以外に、これを求めることができないようである。そのために、第三取得者の範囲をどう決定するかの具体的な場合になるといろいろな難問が生じてくる(たとえば、仮登記権利者を含ましめるべきか否かなどの問題をめぐって)。たしかに、現行法の解釈のもとではこうした方向での解決のみに期待がかけられるけれども、立法論としては、以上述べたような不合理があるにもかかわらず、滌除の制度を存続せしめるべきか否かの観点から検討が加えられるべきであろう。

抵当権の実行が事実上阻止される場合

抵当権の実行が他の法律手続との関係でそのままでは行ないえない場合がある(すでに競売の申立がなされてしまっている場合に後からなされた実行手続、国税徴収法による滞納処分が競合したための実行手続など多様の場合がありうる)。ここでは、一般に発生しやすい場合について検討することとするが、まず、処分を禁止する仮処分命令が登記されている場合に、その不動産につき設定されている抵当権はそのまま実行手続に入ってよいのか、という問題から立ち入ってみよう。下級審判例は仮処分の効力を重視し、処分禁止の仮処分の効力を無視するような抵当権の実行は許されないとする（山口地裁徳山支判昭和三〇年五月一一日下級民集六巻九八〇頁）。しかし、そうだとすると、いつ取り消されるかわからない仮処分に拘束をうけることになり、競売申立による関係的処分禁止の効力を取り消すべき時期を失して抵当権者に不利を強いることになりかねない。そこで、この場合には競売申立を適法とし、競売開始決定をなし、競売申立があった旨の登記を嘱託することによって差押の効力を生ぜしめ、さらに、その効力の現実の発効は現在存在している処分禁止の仮処分が取り消される時期としておくことにより、両者の重複が避けられ、抵当権はその本来の目的の実現に近よることができるのである。

抵当権の実行が仮処分と関連する場合は、右に述べたようにその不動産物権に対する他の理由にもとづく処分禁止の仮処分がある場合の外に、その抵当権じたいに関して、たとえば、被担保債権が弁済により消滅しているとか、抵当権設定が無効であるとかを理由として被担保債権不存在の確認を求める訴えが起こされ、または抵当権不存在確認の訴えが提起された場合に、これを本訴として仮処分の申請がなされる場合である。この仮処分は抵当権の実行や譲渡などのすべての処分を禁止することを目的としてなされるし、すでに競売手続が始まっているときには競売手続の停止をもとめる仮処分となるであろう。抵当権は、このような本訴と仮処分のもとでは、その完了にいたるまでその実行が阻止されることになるが、これは、この項の最初に述べたように抵当権設定が公正証書によったとしても債務名義ではないのであるから、その抵当権じたいが、あるいはその基礎たる権利が直接に争われるにいたることより生ずる必然的帰結なのである。

（染野義信）

第一〇問　留置権の成立要件――物に関して生じた債権とはどういうことか

問題の所在

留置権があるということになると、債権者は、債権の弁済を受けるまで、引き続き他人の物を留置できる。したがって、何人から物の返還請求を受けようと、債権の弁済と物の返還との同時履行を主張できる。つまり、留置権は、他人の物の占有というしかたで、債務の弁済を強制し、債権を絶対権化する作用をいとなむわけである。こうした留置権の成否をきめる第一のかぎは、その「債権」が、「其物ニ関シテ生シタ」かどうかである。では、債権と物との関連性ないし牽連性は、どのようにしてきめられるか。

他の場合でも同じことだが、AとBとの間に関係があるかどうかは、各人がどのような「めがね」を用いて判断するかで違ってくる。めがねのいかんでは、〝風が吹けば桶屋がもうかる〟式に、留置権を認めるチャンスは際限なしにでてくるし、その反対に、きわめて限られた場合にしか認められないという可能性もでてくる。と同時に、多くの人々から妥当・公平と思われるような運用が行なわれる可能性もある。最後の可能性が実現することが望ましいことはたしかだが、「公平」あるいはこれを敷衍し「債権が其物と何等かの経済的関係において発生し、而して債務者が自から其債務の弁済をなさずして物だけを返して貰おうとすることが社会観念上如何にも不穏当と思われる場合」（末弘・債権総論（法学全集六巻）三八頁）といったのでは、視野がぼやけ、関連性の識別は困難である。種々の価値・利害の較量をしなければならず、また、人によって異なる場合のありうる「公平」は、最後の切札とし、より抽象度が低く、それでいて、あらゆる場合に対処し、しかも結果も妥当視されるような――いいかえれば、価値較量をしなくてもすむような――基準があれば、それにこしたことはない。そのひとつの試みは、沿革をたずね、どんな場合を考えて本条が作られたかを調べることである。

関連性の有無をきめるための基準

民法留置権制度は、系譜的には、旧民法・フランス民法につながる。フランス民法では、留置権についての統一的な制度はなく、個別的に、いろいろな箇所で留置権を認める規定をおいている。その強い影響下に成立した旧民法は、一方で、それらを抽象し、統一的・一般的な留置権制度を設けながら（債権担保編一章）、他方では、幾多の場合につき、個別的に留置権を認める規定をおいていた。現民法は、「是レ全ク重複ニ属スルモノナルカ故ニ……各場合ニ付テ更ニ之ヲ規定スルコトヲ」やめてしまったのだが（梅・民法要義（物権編）二八〇頁）、旧民法上の個々の留置権制度を概観するだけでも、かなり関連性の有無ははっきりしてくるはずである。つぎのとおり。

(1) 賃借人・使用借人・受寄者が、目的物の保存費用をだしたり、物の瑕疵により損害を受けたとき、費用償還・損害賠償請求権のため目的物を留置できる（旧財産取得編二〇五条・二一九条）。

(2) 他人の物の事務管理者が保存費用を支出したとき、権利がないのに善意で他人の物を占有していた者が必要費・有益費を支出したとき、および悪意の占有者が保存費用を支出したとき、各費用償還請求権のために目的物を留置できる（旧財産取得編二〇五条・二一九条）。

(3) 建物所有を目的とする用益権消滅の際、土地所有者が建物買取請求権を行使したとき、売買で代金支払期について定めがなかったとき、および買戻権者がその権利を行使したとき、それぞれ代金債権のため売主は目的物を留置できる（旧財産編七〇条・一四四条・一七〇条、旧財産取得編四四条・八八条）。

(4) 受任者が、委任事務処理に要した費用や報酬の債権を有するとき、委任事務処理上委任者のために受けとった物を留置できる（旧財産取得編二四八条）。

(5) 請負人が注文者に対し、報酬債権または請負契約解除による損害賠償債権を有するとき、注文者から受けとった物を留置できる（旧財産取得編二八三条）。

さて、右に準ずべき場合もありうることを考えれば、つぎのように抽象したらよい。「目的物を返還すべき義務を負う者が、目的物に加えた費用または目的物から生じた損害につき、弁済期に達した請求権を有するとき」(1)(2)の抽象)および「目的物を引き渡すべき義務を負う者が、その義務を負担したのと同一の法律関係に基づき債権者に対して弁済期に達した債権を有するとき」(3)(4)(5)の抽象)は、目的物を留置できる。ドイツ民法は、このような抽象の段階で留置権を規定している(ドイツ民法二七三条)。また、わが国でも、近ごろは、これとほぼ同じで、(1)債権が物自体から生じたとき、(2)債権が目的物の返還義務と同一の法律関係または同一の生活ないし事実関係から生じたときに、物と債権との関連性がある、と説かれている(我妻・民法講義Ⅱ二四頁、柚木・担保物権法一七頁・一八頁、薬師寺・留置権論二七二頁)。

関連性が問題となる事例

しかし、こうした基準も、各人の公平感がみたされた限度で有用性があるにすぎない。では、「公平」は、どのような場合に、どのような形で問題となるか。

賃貸借終了の際、賃借人が必要費・有益費の償還請求権を有するときは、目的物を留置できる。そうして、目的物の返還請求に対し留置権の抗弁が認められると、裁判所は、同時履行の判決をするが、有益費については、期限を許与し、将来の給付判決をすることもある(六〇八条。必要費にくらべ有益費償還請求権は、なぜ留置権による保護が弱いかを考える必要がある)。以上の点は、学説も一般に当然視しているが、つぎのようにいう判決がある。「家屋の占有者は、硝子一枚を入れ替え釘一本を打ち付けただけで、その費用の未償還を口実に克く大層高楼を留置使用することができ〔るとすれば〕、建物賃貸取引を阻害し、信義則に背戻し、延いて留置権制度の根本義にも背戻する」（仙台地判昭和三〇年八月一〇日下級民集六巻八号一六一一頁）。類似の例はほかにもある。

賃貸借終了の際、建物買取請求権（借地法四条二項・一〇条）・造作買取請求権（借家法五条）が行使されると、賃貸人との間に建物または造作の売買が成立する。この場合、代金支払と建物または造作の引渡とが同時履行の関係に立つことはうたがいないが、留置権が成立するかどうかは、特定物売買の所有権移転時期をどう考えるかで違ってくる。判例多数説によると、反対の意思表示がないかぎり、売買成立と同時に移転することになり、したがって、建物代金債権と建物の敷地、造作代金債権と建物とは関連性があるかが問題になる。判例は、前の場合には、特段の理由を示すことなく賃借人の敷地の占有を適法視するが、あとの場合は、その代金は、造作に関して生じた債権にとどまり、家屋に関して生じたものではないとし、留置権を認めない（大判昭和六年一月一七日民集一〇巻六頁、最判昭和二九年一月一四日民集八巻一号一六頁、最判昭和二九年七月二二日民集八巻七号一四二五頁）。形式論からすれば、前後矛盾するが、判例を支持するものは、従物たる造作の代金で、主物たる建物の留置権を認めるのは明らかに不公平、と判例理論を敷衍する（薬師寺「留置権」民法演習Ⅱ一三八頁）。また、造作が家屋の同体的構成部分となっているかどうかで区別し、同体的構成部分になっている場合には、賃借人のためにも、社会経済的利益からしても、有益費に準じ留置権を認めるべきだが、畳・建具のように、容易に分離しうる造作については、家屋についての留置権を認める必要はない、とする学説もある（柚木・前掲一九頁）。

これらの判例・学説における公平の尺度は、債権と目的物との対価性にあるとみることができる。しかし、高価物の修繕料や保管料の場合を考えれば明らかなように、留置権は小額債権保護のためにも認められるし、またその結果生じる不均衡を是正するため、代担保制度（三〇一条）のあることも、留意する必要があろう。さらに、結果的には、買取請求権を空文化させることにもなる。――このような公平感から、有益費に準じ留置権を認めるべきだとする学説も少なくない（我妻・前掲二四頁、広中・債権各論講義上二〇一頁、山主・民法総則・物権法二二六頁）。

つぎの場合、公平――価値・利害の較量――は違ったかたちであらわれる。対抗要件をそなえていない宅地賃借人が、賃借権は土地に関して生じた債権だとして、新地主の明渡請求に対し、留置権の抗弁を提出した事案で、判例は、こういって、抗弁をしりぞけた。「賃借人ハ賃借物ヲ使用収益スル債権ヲ有シ、法定ノ要件ヲ履践スレバ之ヲ第三者ニ対抗スルコトヲ得レドモ、其ノ債権ハ賃借物ヲ目的トシテ成立スルモノニシテ其ノ物ニ関シテ生ジタル債権ニ非ズ。……〔したがって〕……留置権ノ発生原因ト為ルモノニ非ズ。蓋シ物自体ヲ目的トスル債権ハ其ノ権利ノ実行ニ依リテ弁済ヲ受クルコトヲ得べク、毫モ留置権ヲ認ムル必要ナケレバナリ。賃借人ガ自己ノ賃借権ヲ第三者ニ対抗スルコトヲ得ザル場合ト雖モ之レ法定ノ要件ヲ履践セザル結果ニシテ、之ガ為メニ留置権ヲ取得スルモノニ非ズ」（大判大正一一年八月二一日民集一巻四九八頁）。かなりごたごたしているが、いおうとしているのは、こうであろう。

(1)〔実質的理由〕なんじの主張は、実質的には賃貸人からの占有の取得および継続をもって、また、法形式上は留置権の名をかりて、宅地賃借権の対抗要件としようとするものにほかならない。しかし、かかる主張を認めることは、一方では、賃借権の登記（六〇五条）および借地上の建物の登記（建物保護法一条一項）を対抗要件として、賃借権の強化と取引の安全とを調和せしめようとした法の趣旨を潜脱する結果となり、また、他方では、債権の担保を本旨とする留置権制度をもって、対抗力付与の制度と化せしめる結果となる。

(2)〔形式的理由〕漠然と考えれば、賃借権は、賃借物に関して生じた債権に相違ないが、右のことを考えれば、民法二九五条でいう「物ニ関シテ生シタル債権」とはいえない。

(3)〔結論〕ゆえに留置権は認められない。

こうした価値判断を前提とするかぎり、賃借人が、賃借権に代えて、賃貸借不履行による損害賠償請求権のために宅地について留置権があると主張しても、やはり排斥されることになる。いうまでもなく、損害賠償請求権は、賃借権の転化した権利形態とみられるからであり、これを明言する判例もある（大判大正九年一〇月一六日民録二六輯一五三〇頁）。この理論は、さらに、不動産の譲渡担保権者Aが、約旨に反して不動産を他へ譲渡したため、担保提供者Xが損害を受けた場合、その賠償債権のために担保提供者が占有する目的不動産について留置権が成立するか、という問題においても貫徹される。すなわち、債務の弁済があれば目的不動産の所有権が復帰するという担保提供者の権利は、その旨の登記（XからAへの所有権移転登記の登記原因に譲渡担保の趣旨が記載されていること、もしくはXの右の権利が仮登記されていること）なくしては第三者Yに対抗しえないのであり、したがって、その転化物にほかならない「損害賠償請求権は、Aに対して存するは格別、Yにはこれを対抗し得ないのであるから、原判決が、右Aの債務不履行と本件不動産との間には、所謂留置権発生の要件たる一定の牽連がないと認めた一審判決を支持し……たのは正当であって違法ではない」（最判昭和三四年九月三日民集一三巻一一号一三五七頁）。

これら一連の判例に対する学説の評価は、必ずしも一様ではない。まず、第一の判例については、さきにのべた実質的理由により支持し、第三の判例についても、債権と物の返還義務とが同一の法律関係ないし事実関係の中に含まれている場合にのみ留置権を認めるのが公平で、一個の行為が、一方に対して債権を、他方に対して引渡請求権を与える場合は、これにあたらないとし、結果的に判例を正当とするもの（我妻・判例民事法大正一一年度七四事件三一八頁、同・法学協会雑誌七八巻三号三四五頁）、右の事例は、いずれも同一の生活関係から生じたものであり、したがって牽連性はあるが、元来留置権は、債務者所有の物に限り発生すると解するのが公平であるところ、事例では、債務者所有の物に関して債権（賃借権・損害賠償債権）が生じたのではないから、留置権の成立を認めなかった判例は、結果において正当、とするもの（薬師寺・前掲八八頁、同・総合判例研究叢書民法（19）二六頁）、また、第一の判例については、賃借権は物を目的とする債権で、物から生じた債権ではない、としてこれを支持しつつ、第三の判例については、担保提供者の損害賠償請求権も、譲受人に対する目的物引渡義務も、同一の法律関係から生じたものであり、かつ、実質的にみても、担保提供者と、その占有下にある不動産の譲受人とをくらべてみた場合、せめて、損害賠償請求権の満足があるまで、不動産について留置権を認めるのが公平である、とするもの（柚木・前掲一八頁、同・民商法雑誌四二巻三号三五八頁）、さらに、第一・第二の判例について、また、おそらくは第三の判例についても、債権と物との間には密接な関連があるとして判例に反対し、留置権を認めるもの（遊佐・新訂民法概論物権篇三五七頁）などがある。

こうなると、関連性の有無のきめてであるはずの「公平一般」や「同一の法律・生活ないし事実関係」ということばは、むなしいように感じられてくる。たとえ話で恐縮だが、刺身庖丁で、鉛筆が削られることもあるし、人が殺されることもある。あとの場合は、不当視されようが、前の場合には、他に手段がなければ容認されることもあろう。債権者代位権が、制度本来の趣旨と違って、特定の債権を保護するために用いられてあやしまれないのも、他に適当な手段がないからであろう。さて、不動産の二重譲渡の場合に、登記がなければ、たとい引渡を受けても、第三者に対抗できないのが原則だが、不動産登記法は、詐欺・強迫によって登記の申請を妨げた第三者に対しては、登記なくして所有権取得を対抗しうるものとしている（不動産登記法四条）。ところで、詐欺・強迫により登記の申請を妨げたとまではいいきれないが、それに近い振舞のあった第三者がいたとして、これと、引渡を受けた譲受人との関係はどうなるか。もし、資本主義の成長期で取引の自由が謳歌されていた時代であれば、登記なくして第三者に対抗しえないという原則が通用するであろう。しかし、取引社会が発展するにつれて、取引におけるフェアプレーの原則が重視されるようになる。とりわけ、Aが非営利的な居住目的で債権を買い受け現に居住しているのを知りながら、Bがもっぱら営利のために買い受け登記をすませたような場合には、居住・生存のための所有権と、営利目的の所有権との対抗が問題とならざるをえない。かようにして、今日では、不動登記法の前示の規定は、列示列挙化している（幾代ほか「民法の基礎知識」第七問）。こうした法理が、まだ確立されていない時代であるならば、対抗要件を備えていない占有者（債権者）のために留置権を認めよ、ということも、過渡期における便法として考えられないではないであろうが、今日では、その必要はなくなっているのである。

（篠　原　弘　志）

第一一問　自然債務という観念は有用か

問題の提起

学生A　紳士との約束を破るなんて罰金ものだぜ。

学生B　それをいうなら損害賠償だろう。ともかく、すまなかった。埋め合わせはするよ。ええと、往復の電車賃が一〇〇円、時間のロス、その間の精神的損害が五〇円として計一五〇円。ランチでどう。

（食　後）

学生B　有楽町で待ち合わせる債務、その不履行による損害賠償債務――どちらも自然債務かな。

学生A　待ち合わせの方は自然債務かもしれないが、損害賠償はどうかな。現に損害を受けているのだもの……。そう、たとえば婚約だ。届出や儀式をあげるのは自然債務的だが、損害賠償は訴求できるぜ。

学生A　しかし、訴権なき債務、任意の弁済のみが是認される債務という場合、その訴権のうちには、損害賠償も含まれているんじゃないだろうか……。そうだ。自然債務の典型を思い出してみろよ。あるとき払いの催促なしの債務、時効にかかった債権、いずれも損害賠償は問題にならないじゃないか。

学生A　どうも釈然としないね。一度先生にきいてみよう。

教師　自然債務ということばは、しばらく棚上げして、A君、この判決を読んでみて下さい。

学生A　「原判示ニ依レバ上告人ハ大阪市南区道頓堀『カフェー』丸玉ニ於テ女給ヲ勤メ居リシ被上告人ト遊興ノ上昭和八年一月頃ヨリ昵懇ト為リ其ノ歓心ヲ買ハンガ為メ、将来同人ヲシテ独立シテ自活ノ途ヲ立テシムベキ資金トシテ同年四月十八日被上告人ニ対シ金四百円ヲ与フベキ旨諾約シタリ、ト言フニ在ルモ、叙上判示ノ如クンバ、上告人ガ被上告人ト昵懇ト為リシト言フハ被上告人ガ女給ヲ勤メ居リシ『カフェー』ニ於テ比較的短期間同人ト遊興シタル関係ニ過ギズシテ他ニ深キ縁故アルニ非ズ。然ラバ斯ル環境裡ニ於テ縦シヤ一時ノ興ニ乗ジ被上告人ノ歓心ヲ買ハンガ為メ判示ノ如キ相当多額ナル金員ノ供与ヲ諾約スルコトアルモ、之ヲ以テ被上告人ニ裁判上ノ請求権ヲ付与スル趣旨ニ出デタルモノト速断スルハ相当ナラズ、寧ロ斯ル事情ノ下ニ於ケル諾約ハ諾約者ガ自ラ進ンデ之ヲ履行スルトキハ債務ノ弁済タルコトヲ失ハザランモ要約者ニ於テ之ガ履行ヲ強要スルコトヲ得ザル特殊ノ債務関係ヲ生ズルモノト解スルヲ以テ原審認定ノ事実ニ即スルモノト云フベク……」（大判昭和一〇年四月二五日新聞三八三五号五頁)。

教師 その辺でいいでしょう。

学生B 本件の贈与は、訴えたり執行することは予定されていなかった、そこまでの効果意思はなかった、というわけですね。心裡留保(九三条)の変形かな……。

教師 表向きの理由はそうでしょう。しかし、本件の贈与は本当に贈与なのでしょうか。金で女性の心を買おうというのですから、実質的には、売買あるいはその申込みではありませんか。女性が、それを承知したかどうかはわかりませんが、それはともかく、こうした約束に裁判所や法が手を貸していいものでしょうか。その必要がない、というのが、この判決の核心でしょう。さりとて、この種のこともさかんに行なわれているようなので、公序良俗違反だともいいきれない。そこで、本件の贈与の約束は裁判上の請求権まで与える趣旨ではなかったという解釈になったのでしょう。あと、金銭の授受が行なわれるかどうかは、当事者の駈引しだいというわけです。

学生A かりに、目的物が金銭でなく、女性の方で契約違反による損害賠償を求めたとしても同じですね。また、逆に、男の方が履行したあとで、その返還を求めてきても、一種独特の債務があるのだから非債弁済にならない……。へんだな。そもそもこのような関係を債権とか債務とかいうことじたいおかしくなってきたな。いわゆる放任行為――非債弁済以前の問題だといって返還請求を拒絶した方がよさそうに思える。

学生B　むしろ不法原因給付に近い。からだを買うということになれば、不法性がもっとはっきりするのだが……。

教師　このように受給権があるのかないのかはっきりしない場合はほかにもあるでしょう。

学生A　婚姻仲介料、友人間のマージャンやポーカーの賭……これは不法原因給付かな。

教師　麻薬・ピストル・人身などの売買でも、当事者あるいはその仲間達の間では、守らるべきものだと意識されているでしょうし、守られない場合には、しばしば強いサンクションが加えられるでしょう。しかし、それが当然視されたり正当視されたりするのは仲間うちだけのことで、一般社会ないし国家にまで通用するものでないことはいうまでもありません。つまり、権利とか義務とかいった拘束関係は、一般社会ないし国家的次元で考えることもできるし、アウトローその他個別社会の次元でとらえることもできるわけで、私が、さきに受給権といったのも、前の次元からの発言です。

学生B　不法原因給付の場合も自然債務が成り立つというのは、個別社会の次元で考えるからですね。制限超過利息の契約から自然利息債権が生じるというのも、同じ発想によるわけかな。

教師　金利は、貨幣という商品の価値を測定するバロメーターであり、物価です。それは、他の物価と同様、一次的には需給関係によってきまります。ですから、利息制限法、その判例や学説は、経済的な需給法則への挑戦状にほかならないといえるでしょう。国家法の次元における権利とはどのようなものか、その歴史性・相対性が、利息制限法ないしその運用の推移のうちに示されています。大まかにいっても、借主のため、まず、制限超過利息の請求を拒否する権利が認められる。やがて、前払超過利息のうち、天引した場合だけ、元本の充当が認められる。ごく最近、前払超過利息一般について、元本への充当が認められるようになった。やがては、既払超過利息の返還請求権が認められるようになるかもしれません。

学生A　貸主の高利受領の正当性が失われつつある……不当性が増大しつつある、というべきかな。

学生B　利息制限法は強行規定だから、超過利息の元本への充当について、とくに援用はいらない。その点の違いはあるが、時効にかかった債権も相殺しうる（五〇八条）のですから、機能的には、超過利息の場合とよく似ています。もっとも、悪意の時効援用者についていえば、履行すべき道義的義務があるのだといえましょうか。

教師　受給権のあることが明白なのは、ふつうの債権を有していたものが、何かの事情で、義務の履行を徳義に委ね、訴えたり執行しないと契約したような場合ですが、もし、これに反して訴えを提起され、給付義務者の右の抗弁が認められたら、裁判所はどういう判決をするのですか。

学生A　請求権がないのだから請求棄却。

学生B　訴えの利益がないのだから訴え却下。

教師　請求権を失わせる契約ともみられるし、請求権を行使しない契約というように受けとることもできる。A君は前者とみ、B君は後者と解したのでしょう。ただ、つぎの点に注意すべきです。私力救済禁止の原則が支配しているところでは、債権の目的である受給を達成する手段は、請求以外にないわけです。そうして、もし、債権の中心的効力が受給にあるのだとすれば、請求権がないと解しようと、行使しえないと解しようと、権利保護の利益・資格がないとして排斥されることになりそうです。不起訴の合意がある場合、訴えの利益なし、とした下級審判決がいくつかありますし、学説もそう解しているようです（兼子「訴訟に関する合意について」民事法研究一巻二七五頁）。ところで、明文の特約がなくとも義務の履行を徳義に委ねる――受給が一般に正当視される場合があります。

学生B　夫婦・親子・恋人・友人などの間で行なわれる種々の社交的な契約……。

学生A　この場合の約束も守らるべきですが、守られなかったからといって訴えたり執行したりするのは行きすぎ……いや、さっきの判例ではありませんが、この場合こそ、訴えたり執行したりすることは予定されていなかった、そこまでの効果意思はなかった、といえないでしょうか。

教師　民法には、そうした連帯的・友好的な感情で結ばれている人間関係を予定した規定があります。

学生B　書面によらない贈与の取消権（五五〇条本文）。ふつうの贈与は社交契約的であり、贈与者の義務は、徳義上のそれにひとしいわけですね。これから推すと、社交上の約束不履行による損害賠償請求が認められる可能性はないな。

教師　はじめに読んでもらった判例の事案は、金銭を与える義務を消費貸借上のそれに改めたとして、請求されたものです。なお、贈与の取消権については、効果意思の不確定という面からも説明できますし、また、友誼的な感情があり、それを通わすことが主であるのに、受贈者側で履行請求をする場合はその基礎が失われているからだ、とも説明されていますが、それぞれは、いわば楯の半面といえるでしょう。

学生A　ノーマルな夫婦の契約取消権（七五四条）も同じように考えられます。

自然債務ということばの多義性

教師　この辺で整理してみましょう。債権とか債務とかは何よりもまず、社会的存在であり、そのようなものとして相対的であり、したがって紛争もたえません。近代国家は、その平和的解決のため、一方で私力救済を禁ずる反面、裁判制度を設けて、すべての人に解放しました（憲法三二条）。古くは、訴権は、実体的な権利の属性として考えられていましたが、近代法では、人の属性にまで高められたのです（抽象的訴権）。と同時に、なるべく裁判官の主観がまじらないようにするため、法律による裁判の原則がうちたてられました（七六条三項）。社会的・相対的存在としての債権には、裁判所による法的審査にパスする見込みのあるものもあればないものもあるし――これも相対的であり程度の問題です――、また、審査にパスしたものもあります。審査にパスして債務名義をえた者は、強制執行請求権を獲得します。パスする見込みのない、あるいはパスしなかった場合でも、受領が是認され、不当利得にならないと判断される場合があります。是認といっても、それが、法律ないし一般社会の正義感にてらしてみて正当視される場合から、不当だがやむをえないとされる場合まで、さまざまです。この種のものに整理箱をつくり、見出しをつけることは便利です。これらを一括して自然債務とよぶ学者もいますが、一般に不当視されるような場合まで義務と名づけることが適当かというと、首をかしげざるをえません。そこで、不当視される場合を除いて、自然債務とよび、あるいは、自然債務に代え社会的債務と名づける学者もいます。もっとも、国家法の次元にたてば、審査をパスする見込みのないものやパスしなかったものは、たとい受領が正当視されようと債権としての価値はないわけです。また、不当利得にならない理由はさまざまであり、自然債務ということばの用法も一定していないのに、自然債務になるかどうかという観点から、不当利得の成否その他、給付請求の許否をきめようとすれば、あなた方のように思考の混乱がおきるだけだ。こうした国家法ないしその解釈学の立場から自然債務の語は用うべきではない、と批判する学者もいます。

学生A　ことばは、人を泣かせもするし笑わせもする。用法をわきまえよ、ということですね。

（篠　原　弘　志）

詐害行為取消権の機能

第一二問　詐害行為取消権は虚偽表示の場合にも行使しうるか

民法四一四条は、債権の効力として、債権者が裁判所に対し、強制執行を請求しうる旨を規定している。この規定は、フランス民法（一一四二条―一一四四条）および旧民法（財産編三八一条・三八二条・三八六条）の系譜をひくものだが、裁判所に対して強制執行を請求しうるのは、狭義の——物権的請求権に対立する意味での——債権的請求権を有する者に限らないのだから、かかる規定を債権編中に設けることが適切かどうかは疑わしい。しいて設けるとすれば、給付請求権の効力として、総則編にでも規定するのが比較的無難だが、さらに、手続法においては、執行力が債務名義の効力とされている点を考えれば、いっそ、民法から、執行に関する規定を削ってしまうにしくはない、といえるかもしれない。現に、実体法・手続法の分化が徹底しているドイツ法では、そうなっている。それはともかく、債権内容の強制的実現は、究極においては、債務者の財産に対する強制執行であり、人的執行は認められていない。すなわち、債務者が負う終局的な責任は、その総財産につきるのであり、したがって、債権の経済的価値は、債務者の財産の多寡によりきまるわけである。それゆえ、債権者、とりわけ大口の債権者は、債務者の財産がどのように管理運用されるかに深い関心をもたざるをえない。そのもっとも端的なあらわれは、債権者の命を受けて債務者の企業組織の有力なポストにつき、債務者の財産の管理運用にあたり、あるいは、管理運用を監視するところの、かの出向社員である。民法もまた、債権者のため、一定の条件の下に、債務者の財産の管理運用に介入する権利を認めた。いうまでもなく、債権者代位権と債権者取消権とがそれである。前者は、債権者が債務者に代わってその権利を行使し、責任財産を保全するための手段であり、後者は、債務者の積極的な責任財産減少行為、すなわち詐害行為を取り消してその回復をはかるための手段である。もっとも債権者代位権は、これまでのところ、主として、債務者の資力と無関係に不動産売買による登記請求権とか、不動産賃借権といった特定の債権を保全するために用いられてきた（この点の判例は数多くあり、学説の多くもこれを支持するが、登記請求権や賃借権に基づく妨害排除請求権の問題を糊塗する便宜的な解決とする批判も少なくない。たとえば、川島・債権法講義第一分冊六九頁、於保・債権総論(法律学全集20)一四九頁など)。しかし、制度本来の趣旨が、債権者取消権におけるのと同様、責任財産を充実させることをとおして、金銭債権による強制執行を実のあるものにしようとする点にあること、したがって、金銭給付で満足する以外に強制手段のない債権者が代位するためには、債務者の無資力を条件とすること、については疑いがない。他方、債権者取消権の性質について、判例・学説が錯綜していることも周知のとおり

	学説	訴訟形態	被告	効果	問題点
Ⅰ 形成権説（石坂）	債務者・受益者間の取消しを目的とする権利	形成訴訟	免除——債務者 その他——債務者・受益者	絶対的無効	逸出財産の返還請求は代位による。この場合、悪意の転得者も被告適格あり
Ⅱ 請求権説（雉本・高梨・川島）	逸出財産の返還を目的とする権利	給付訴訟	受益者または転得者	債権者に詐害行為の有効を主張しえず	文理から離れる
Ⅲ 折衷説 第一説（鳩山・勝本）	取消請求と返還請求を目的とする権利	形成訴訟または、形成・給付訴訟	債務者・受益者・転得者	絶対的無効	訴訟の複雑化
Ⅲ 折衷説 第二説（判例・末弘・我妻・柚木）	右に同じ	形成訴訟、形成・給付訴訟、給付訴訟	受益者または転得者	相対的無効	相対的取消は制度の趣旨からは必要ないが、取消訴訟の要があるか
Ⅲ 折衷説 第三説（加藤（正））	逸出財産の返還を目的とする権利、取消しはその論理的前提にすぎない	給付訴訟	右に同じ	右に同じ	文理から離れる

である。それを整理すると、ほぼ、前頁の表のようになる。

だいぶまえおきが長くなったが、以上を予備知識として本問の検討に移ることにしよう。

問題の所在

債権者の追及を免れるため、債務者が、第三者と通謀し、虚偽の意思表示をして、責任財産の全部または一部を名目上第三者に移転することが少なくない。かかる場合、債務者・第三者間の意思表示は無効なはずだが（九四条）、債権者は、どのような方法で、名目上にせよ逸出した財産の返還を請求すべきか。

判例の推移

当初の判例は、この点につき、つぎのように述べた。すなわち、虚偽の売買で、債務者が不動産の所有名義を他へ移した場合、売買は無効だとしても、これを原因としてなされた登記は、債権者を害するから、債権者は、売買の無効なることを主張すると同時に、債権者取消権により、登記の取消しを請求しうるし（大判明治三四年四月二六日民録七輯四巻八七頁）、また、寄託物について、預り証券および質証券の交付を受けた債務者が第三者と通謀して虚偽の裏書をした場合、「譲渡其ノモノヲ取消ス必要ナシト雖モ預証券及ヒ質証券ニ形式上裏書ヲ為シタル以上ハ之ヲ取消スニアラサレハ債権者ニ於テ其物件ヲ差押ヘ之ヲ処分スルコトヲ得サルニ付其裏書ハ所謂詐害行為ニシテ債権者ハ之ヲ取消」しうるとし（大判明治三四年一〇月二一日民録七輯九巻八〇頁）、さらに、債権を害する目的で仮装した抵当権設定契約による登記も、債権者取消権により取り消しうるものとした（大判明治三七年七月八日民録一〇輯一〇五七頁）。しかし、この見解は、間もなく改められた。その理由は、民法四二四条が取消しの対象としているのは、有効な詐害的法律行為に限るのであり、「登記法上ノ行為ハ同条ニ所謂法律行為ニ包含セラレサルコト多言ヲ要セサル所」ということであった（大判明治四一年一一月一四日民録一四輯一一七一頁、大判明治四一年六月二〇日民録一四輯七五九頁）。もっとも、虚偽表示は善意の第三者に対抗しえない（九四条二項）。それゆえ、債務者と受益者との間の法律行為が虚偽表示であっても、転得者がそれを知らない場合には、「債務者ト受益者トノ間ニ詐害ノ要件具備スル限リ……取消ノ目的ト為スコトヲ得ルモノト解」している（大判昭和六年九月一六日民集一〇巻八〇六頁）。

要するに、無効な行為は、たとい、それが債権者を詐害する目的で行なわれようと、「取消」の余地はない。かかる場合、債務者は、登記の抹消、占有の返還、裏書の抹消などを請求できるはずだから、債権者は、債務者に代位し、それらの請求権を行使すべきである――これが判例理論の骨子であろう。それはまた、現時の通説の立場でもある。

ところで、一般論としてではあるが、つぎのように述べる最高裁判決がある。「昭和一六年法律六一号は、刑法九六条ノ二を新設し、強制執行を免れる目的で財産を仮装譲渡することを犯罪として処罰することとしたので、右規定の施行された昭和一六年三月二〇日以後なされたかかる行為は、民法七〇八条の不法の原因のためになされた給付に当るものとして、給付者において給付の返還を請求し得ない場合があることはいうまでもない」（最判昭和二七年三月一八日民集六巻三号三二五頁）。このような場合、債権者は、代位のしようがない。さりとて、旧来の判例・通説の立場からすると右の仮装行為を詐害行為として取り消すこともできないわけであり、いまや判例・通説は転換の時期にさしかかっているのだといえそうである。この矛盾を調整するため、近時の一部の学説は、つぎのように説いている。

債権者が、虚偽表示を詐害行為としてその要件を挙証し、取消しを求めるときは、被告は、虚偽表示であることを理由として、これを阻止しえない。なぜなら、両制度が同一の作用を営む場合に、被告にかかる主張を許すのは、結局において信義に反するからである（我妻・新訂債権総論一七七頁、高梨・債権法一五五頁、於保・前掲六五頁）。

しかし、こうした解釈が唯一の方法というわけではない。いうまでもなく、取消しとか無効ということばは、一義的なものではない。現に判例は、古くから、債権者取消しの効果を「債務者ノ財産上ノ地位ヲ其法律行為ヲ為シタル以前ノ原状ニ復シ、以テ債権者ヲシテ其債権ノ正当ナル弁済ヲ受クルコトヲ得セシメテ其担保権ヲ確保スル」という制度の目的に近づけるため、「民法ガ『法律行為ノ取消』ナル語ヲ用ヒタルニ拘ラズ、一般法律行為ノ取消ト其性質ヲ異ニシ、其効力ハ相対的」で、いいかえれば、逸出財産またはこれに代わる利得の返還を基礎づける限りにおいて生じるにすぎないものとしていたし、被告は、受益者または転得者のみで足るとされていたのであった（大判明治四四年三月二四日民録一七輯一一七頁）。請求権説は、これを一歩進めたにすぎない。ここでは、詐害行為取消しは、責任財産を確保し、現実にみのりある強制執行ができるようにするための手段であり、この目的を達成する限りでの詐害行為の効力否定＝無効主張にほかならない。したがって、詐害行為が本来的に無効であったという被告側の主張は、何の意味もないことになろう。

（篠　原　弘　志）

第一三問　損害賠償請求権の個数はどのような観点からきめられるか

損害賠償請求権の個数は要件効果の解釈の問題

われわれは、しばしば「債務不履行による損害賠償」とか「不法行為による損害賠償」といったことばを目にし口にする。この場合、それぞれの損害賠償制度そのものをさすこともあるが、債務不履行・不法行為を原因（要件）として生じた損害の賠償（効果）の意味で用いることがある。ここでは、損害ないし損害賠償概念は、いちおう、債務不履行・不法行為の概念の外のものとして考えられているわけである。そうして損害賠償請求権の法律的性質が、原因により規定されることはいうまでもないが、その個数は、原因・効果に関する法の解釈の問題であり、それが、さまざまな利害の較量を要し、それだけにしばしば解決困難な問題を生みだしていることは、たとえば、長い間にわたる請求権競合論争をみただけでも容易にうなずけよう。類似のことは、債務不履行なり不法行為プロパーの領域にもあるわけで、ここでは、ひとまず一般不法行為にしぼって、損害賠償請求権の個数決定上の諸契機を検討してゆくことにする。

違法性理論と損害賠償請求権の個数

民法七〇九条は、不法行為の要件として、故意・過失による「権利侵害」を規定しているが、周知のように、権利侵害は、「違法」な加害行為と読みかえられるようになってきており、不正競争防止法（一条・一条ノ二）や、国家賠償法（一条）では、それが明文化されている。こうした転換が説かれるようになった直接の動機は、権利侵害という基準で不法行為の成否をきめてゆくと、とかく画一的・固定的な判断をしがちで、妥当な結果がえられなくなるおそれがある、ということであって（その顕著な例が、雲右衛門浪曲レコード事件判決・大判大正三年七月四日刑録二〇輯一三六〇頁）、損害賠償請求権の個数の問題とは直接のかかわりがあるわけではない。しかし、結果的には、この面でも大きな差異をもたらすことになる。たとえば、重過失で家屋・家財を一挙に焼かれた被害者のように、社会観念上一の行為で同一人に属する数個の権利侵害があった場合、違法性理論によるときは、権利の数に応じた損害賠償請求権が生じるのではなく、原則として一個の損害賠償請求権を生じるにとどまるものと解することになるからである。この点は、現に判例・通説の認めるところだが、さらに進んで、右の被害者がみずから算定した損害額の数量的一部を裁判上請求した場合、残額部分についても時効中断の効力を生じるかどうかについては争いがある。判例は、時効期間三年（七二四条）を経過したあとで被害者が残りの部分について請求を拡張した事案で、つぎのようにいう。「裁判上の請求による時効の中断が、請求のあった範囲内においてのみその効力を生ずべきことは、裁判外の請求による場合と何ら異るところはない。そして裁判上の請求があったというためには、単にその権利が訴訟において主張されたというだけでは足りず、いわゆる訴訟物となったことを要するものであって、民法一四九条、同一五七条二項、民訴二三五条等の諸規定は、すべてこのことを前提としているものと解すべきである。一個の債権の数量的な一部についてのみ判決を求める旨を明示して訴が提起された場合……訴訟物となるのは右債権の一部であって全部ではない。それ故、債権の一部についてのみ判決を求める旨を明示した訴の提起があった場合、訴提起による消滅時効中断の効力は、その一部の範囲においてのみ生じ、その後時効完成前残部につき請求を拡張すれば、残部についての時効は拡張の書面を裁判所に提出したとき中断するものと解すべきである……」（最判昭和三四年二月二〇日民集一三巻二号二〇九頁）。しかしこれとは逆に、残額部分についても中断の効力を生ずるとする説も少なくない（我妻「確認訴訟と時効中断」法学協会雑誌五〇巻七号七五頁、柚木・判例民法総論下巻三七三頁、兼子・民事法研究一巻四一九頁など）。その理由は、必ずしも一様ではないが、焼失した全財産の損害として裁判所が認定した額が、たまたま、当事者がいわゆる一部請求をした額と同じであったり、より下回ることだってありうるわけで、このような場合を考えただけでも、右の判例理論を支持することにためらいを感ぜざるをえない。一般的にいえば、一の損害賠償請求で、当事者が損害額を提示するのは、要賠償額の上限を画する以上の意味をもちえないといってよいであろう。

時効と関連し、損害賠償請求権の個数が問題になるものに、不法占拠のようないわゆる継続的不法行為がある。判例は、はじめ、「被害者ガ最初ニ損害及ビ加害者ヲ知リタル時ヨリ其損害全部ノ賠償請求権ニ付キ進行スルヲ相当トシ、加害者ガ加害行為ヲ廃止セザルガ為メニ損害ノ継続シテ発生スル間時々各別ニ進行スルモノト解スベキニ非ザルモノ」と判示した（大判大正九年六月二九日民録二六輯一〇三五頁）。これによると、三年の時効期間を経過し、なお不法行為が継続していても加害者に賠償責任なし、という結果になる。この結果は必ずしも妥当ではない。そこで判例は、右の見解を改め、一回的な不法行為であれば、これにもとづく「損害ノ発生ヲ知リタル以上其損害ト牽聯一体ヲ為セル損害ニシテ当時ニ於テ其発生ヲ予想シ得ベキモノト為スコト社会通念上妥当トセラルルモノニ在リテハ凡テ被害者之ガ認識アリタルモノトシテ七二四条所定ノ短期時効ハ其全損害ニ付キ此時ヨリシテ進行ヲ始ムルモノト解スベ……ク、而シテ右ハ不法行為アリタル後ニ於テ其ノ行為ノ結果タル損害ガ長期ニ亘リテ継続スル場合ニ於テモ其ノ理ヲ一ニスル」、しかし「不法行為ソレ自体ガ継続シテ行ハレソレガ為メニ損害モ亦継続シテ発生スルガ如キ場合ハ……其損害ノ継続発生スル限リ日ニ新ナル不法行為ニ基ク損害トシテ民法七二四条ノ適用ニ関シテハ其各損害ヲ知リタル時ヨリ別個ニ消滅時効ハ進行スルモノト解」されるようになった（大連判昭和一五年一二月一四日民集一九巻二三二五頁）。学説も、ほぼこれを支持するが、損害賠償請求権そのものは一つで、その額が、行為の継続に従って一方で増大しつつ他方で縮小すると解すれば足るのではないか、といった疑問も述べられている（末川・不法行為並に権利濫用の研究一三二頁、野田・判例民事法昭和一五年度一一七事件）。

損害額の算定と損害賠償請求権の個数

ところで、損害額算定の問題と損害賠償請求権の個数の問題とはいちおう別なはずである。しかし、現実には、両者は、不即不離の形で論じられてきた。

傷害致死（生命侵害）の場合をとってみよう。この場合、加害者が、相当と認められる範囲の治療費、逸失利益（天寿を全うしたならえられたはずの利益）、葬式費用、慰謝料などを遺族（相続人）に賠償すべきであることについては、異論をみない。しかし、それをどう論理構成するかということになると、議論は紛糾する。主なものを列挙すればこうである。

第一説　(1)　加害者支出の治療費・逸失利益・慰謝料賠償請求権――相続により取得
　(2)　遺族支出の治療費・葬式費用・慰謝料賠償請求権――原始的に取得

第二説　直接被害者の慰謝料賠償請求権は、彼が行使の意思表示をしたときにかぎり相続を認める。他は第一説に同じ。

第三説　直接被害者の慰謝料賠償請求権の相続は認めない。他は第一説に同じ。

第四説　遺族は、治療費・逸失利益・葬式費用などの賠償請求権を原始的に取得する。

以上のうち、直接被害者の賠償請求権の相続を認める見解は、共同相続の理論において、合有説をとるか共有説をとるかで、さらに違った結果が導かれる。合有説によれば、承継した賠償請求権については、相続人の共同行使が要求されるのに対し、しからざる損害賠償請求権の行使は、権利者の選択に委ねられることになろう。これに対し、第四説にあっても、その理由づけは一様でなく、あるいは同一人格承継説もあり（穂積・相続法論一六頁）、また、被害者共同体ないし家団論もある（末弘・民法雑記帳二〇二頁、我妻・判例漫策二二九頁）。あとの考えかたは、おそらく、一の損害賠償請求権が、直接・間接の被害者に合有的に帰属し、治療費・逸失利益・葬式費用・慰謝料などは、損害額算定・計上の問題としよう、という含みがあるものと推測される。

この問題は、被害者が一人しかいない場合でも同じである。すなわち、一回的な不法行為による損害賠償請求権は、個々の損害の発生ごとに、あるいはより抽象度の高い損害の種類ごとに発生するのか、それとも、全損害について一の賠償請求権が生じるのか、という形におきかえることができる。

判例中には、同一不法行為から生じた治療費につき、前訴で請求しえたはずのものについては、前訴判決の既判力にふれ、新たに訴求しえないとしたものがある（東京地判昭和三八年一二月二三日下級民集一四巻一二号二五八六頁）。これに対し、傷害により逸失利益の賠償請求をして敗訴した者が、改めて慰謝料請求をした事案で、一方は有形の損害、他方は無形の損害であり、請求の趣旨・原因がまったく異なるから前訴判決の既判力にふれない、としたものもある（福岡高判昭和三二年四月九日下級民集八巻四号七三四頁）。また、原判決中逸失利益の賠償請求に関する部分のみを破棄した例もある（最判昭和三九年六月二四日民集一八巻五号八七四頁）。これに対し、学説中には、成法上の損害の種類、すなわち、財産上の損害と非財産上の損害および通常生ずべき損害と特別事情による損害、といった種類に応じた賠償請求権が発生する、と説くものもあるし（村松「訴訟上の請求」民訴法雑誌5二四〇頁）、また、社会的に一個の紛争とみて、全損害の賠償のみを命ずれば足るのではないか、といった意見もみられる（三ケ月「訴訟物をめぐる戦後の判例の動向とその問題点」民訴法雑誌5二二九頁）。

訴訟制度と損害賠償請求権の個数

いうまでもなく、損害賠償請求権は、原則として金銭債権なのであり、このような純実体法的な観点からすれば、損害賠償請求権は侵害された権利の数に応じ、あるいは、損害の種類に応じ、いくら細分化されても不都合を生じることはないであろう。そうして、さきの第一説は、もっぱら、こうした観点および傷害の場合と致死の場合との不均衡を取り除くといった公平感からうちたてられたものであった。しかし、他面このような細分化は、訴訟制度の理念と抵触する。けだし、かかる細分化は、いわゆる試訴を許し、判決相互の矛盾をもたらすことになりかねないからである。しかし、さりとて、同一不法行為をめぐる紛争解決のためには一個の損害賠償請求権を認めれば足るとすることが妥当かどうかも問題である。というのは、かかる見解が肯定されるためには、現に生じた損害のみならず、将来生ずべき損害も同時に請求しうるとすることが、制度的に確立される必要があるからである。判例は、さまざまな形で、個別的にこの理を認めつつある。たとえば、将来の消極的損害のみならず、抵当権侵害において、損害額確定前に賠償請求をすることを許し、あるいは、将来の義手義足代といった積極的損害の賠償請求も認める。しかし、まだ、それは一般的に認められているわけではないし、身体傷害におけるように、不法行為後長い歳月を経て不測の損害が発生するといった場合もありうるからである。

（篠　原　弘　志）

第一四問　典型契約の規定はどのような現代的意味をもつか

債権編契約規定の現代的意味

典型契約、あるいは有名契約と呼ばれるものの意味はかならずしも同一ではない。これを広い意味にとれば、法律が一定の内容を規定し、通常これに特別の名称をつけているもの一般を指すべきであるが、ここではそれを狭い意味にとり、民法第三編債権第二章契約の第二節以下に規定される、贈与・売買・交換以下一三種の債権契約を考え、それらがどのような現代的意味をもっているかを反省してゆく。

典型契約は現実に行なわれる契約を類型化しているか

いうまでもなく、債権契約は、契約自由によって支配されるべき当の領域である。したがって、どのような内容の契約を締結するかは契約当事者の自由であり、典型契約をきめてその法効果を定めてみたところで、当事者のそのような合意を媒介しないかぎり規定の実効はあがらずに終わる。にもかかわらず、典型契約の規定が重要であり、意味あるものであるならば、それは典型契約がその社会の現実に行なわれる重要な契約の類型化を成し遂げており、合意にモデルを提供し、合意を補充し、明晰にする機能を十分果たしているという、その事実に依存するのでなければならない。任意規定の集積から成る典型契約の規定が、当該社会で普遍的に行なわれる契約でなかったり、またはそれを逸したりしている度合が強ければ強いほど、その意義は少ないものとなってゆき、せいぜい現実の契約についてその構成部分を解明する原理を提供するほどのことしかできなくなってしまう。もちろんこのことも典型契約の重要な任務であることは認められるが、それでは、これとは別な、現実に即した型態の、全体的な類型化が放棄されてしまうことになる。これは、契約の章下に多くの類型を示し、重要な契約を網羅し尽くしたつもりの意図とは大いに離れるわけで、反省が必要であろう。契約事実、法学部の講義などでも、典型契約の部分は略説されることが多いように思える。契約総論のあとは、贈与・売買が検討されるほか、せいぜい賃貸借の特別法部分と委任・組合の若干部分が講究され、すぐに事務管理以下の非契約部分に入ってしまうことも少なくない。債権法各論の講学範囲が広くて全体を研究するいとまがないということもたしかにあるが、典型契約の典型性が失われたという認識も、この原因の一つになっていることはいなみえないのである。以下、各種の典型契約について、それぞれ考察を加えてみよう。

まず贈与だが、それはいうまでもなく無償契約の典型とされている。ところで、日本社会における贈与は、その背後にある種の協同関係をもって、それと不可分の関係で行なわれることが多く、そのゆえに近代的契約意思を欠いているとみらるべき場合さえ少なくない。ところが、民法は、逆にこの基礎関係を重視し、かたがた武士かたぎの要請も加わって贈与の

典型契約の機能

典型契約			典型契約
雇傭	労働契約	前近代的贈与 寄付	贈与
		宅地・建物・農地 売買契約 割賦売買 チケット販売	売買
請負	土建契約 下請契約 製作物供給契約	継続的 供給契約 製作物 供給契約	
委任	賃貸型 雇傭型 請負型		交換
寄託	預金契約 信託契約	金銭貸借 建設協力金契約 利息契約	消費貸借
組合		社宅契約	使用貸借
終身定期金	社会保障的 定期金制度	借地契約 借家契約 アパート・ビル 賃貸契約 小作契約	賃貸借
和解	示談		

あらたな類型が樹立され，または従来の機能が分裂して典型契約の意味が減少しつつある大体を示す。

拘束力を強くした。ことに、贈与者の困窮にもとづく拒絶や返還請求（ドイツ民法五一九条・五二〇条、スイス債務法二五〇条）、受贈者の重大忘恩行為による撤回（フランス民法九五五条、ドイツ民法五三〇条、スイス債務法二四九条）などに触れず、特定物贈与者に善管義務を認めるなど、近代的好意契約より一層強い効力を認めた。贈与一般をとらえ、その合意を補充しうるかどうかには問題がある。

売買における特殊類型の誕生

つぎに売買だが、それは有償契約・近代的契約の代表であることというまでもない。しかし、この領域においてさえ、典型契約規定の予想しえなかった取引慣行によって、規定の修正や補充をしなければならぬものが続出しつつある。不動産売買における宅地・建物の取引、農地のそれ、割賦販売、あるいはその特殊なものとしてのチケット販売、継続的供給契約等々、いずれも総括的な売買契約の規定にのみよることはできないものであり、しかもそれは今日の経済界には日常大量に継起しているものに過ぎない。これらを逸した売買一般の規定だけで満足できないことは当然である。また、経済的機能をほぼ同じゅうしながら法的構成をことにしている再売買の予約と買戻しなども、一種の物権取得権である性質に注目しながら、譲渡担保との関連において統一的構成を試みる必要がある。

交換の非重要性

交換の規定はほとんど重要性がない。税金の賦課をおそれて行なわれる若干のものがある程度で、それとて民法上の問題ではない。

貸借の規定

ついで、貸借型契約としては、消費貸借・使用貸借・賃貸借がある。消費貸借は現在最重要な契約であるが、民法はその要物性など一部に触れるだけである。金融政策に関するような面は別としても、金銭消費貸借を中心にしても少し詳しい規定があってよいところであろう。利息や担保との関連を遮断する態度も問題であろう。使用貸借についてはその生ずる基礎関係が重要であり、単なる好意的なそれは数多いかと思われる。ことに労働関係に伴う社

不動産賃貸借規定の離脱

宅利用関係などについては、なんらかの規定が欲しいところである。賃貸借は、少なくとも借地・借家・小作については特別法群によってその様相を一変させられた部門に属し、これらの領域について民法の規定に負わされる役目はほとんどないに等しい。建物保護法・借地法・借家法・農地法などの規定は、いわば経済的弱者の保護に任ずる社会法を形成、強行性を本質として合意の内容に変更を加えつつあるわけだが、これを民法外事象としていつまでも放置すべきかは問題でなければならない。すでに私権の公共性・権利行使の信義誠実性・契約の公序良俗性を揚言する以上、その具体化を展開する規定が民法外になければならぬ必然性はないといってもよい。強行性をもつ契約規定も、民法典に先蹤がないわけではないのである（六〇四条・六二六条・六二八条・五七二条など）。それはともかく、民法賃貸借の規定から、宅地・住宅・農地賃貸借のほとんどが脱落してしまっている事実は否定すべくもない。

労務提供契約における特殊化と分解傾向

進んで労務提供型契約だが、これに属するのは雇傭・請負・委任・寄託の四つ。このうち、少なくも雇傭についてはその大部が労働契約に吸収されてしまったといえる。同居の親族を使うのは元来雇傭ともいいがたいので、結局家事使用人契約が残された領域というのでは（労働基準法八条）、労働基準法の詳細な強行規定が雇傭の規定を問題にする余地を与えない。請負や委任も、労働契約に含まれるかぎり同じような扱いと思われる。請負についても問題は特殊化する。自分の所有材料を使って注文品を供給する、いわゆる製作物供給などでは、代替物に関するときは売買、不代替物に関するときは請負などと論じられるが、補充規定の欲しいところである。なお、土建業者との請負契約・下請などについても触れられてよいものであろう。委任についても、たとえばその告知自由についてさえ、それが不動産仲介のような請負型の場合は履行利益の賠償を伴って（六四一条参照）、経営委任で建物の使用を伴う、いわば賃貸借型の色彩をもつ場合は信頼関係の破壊によって、また外務員契約のような雇傭型性質をもつときは予告期間をおきまたは已むをえぬ事情にもとづき（六二七条・六二八条）、あるいは労働契約上の予告期間を伴って、それぞれ可能なのだという説がある。委任それじたいとしての議論は困難になっている。最後に寄託だが、無償寄託では権利・義務関係に入ろうという効果意思が疑わしく、有償だと委任・雇傭・請負に近づき、重要なものは商法の規制に委ねられる。金銭寄託は重要なものとして残るが、それは銀行取引の約款や慣行に規制され、寄託規定のはたらく余地はほとんどない。

組合契約は、団体性の弱い、合意的団体の基礎法だが、もちろんこれによって事業し、法的規制の対象となる適格をもつものは数多くない。組合を生ずる具体例としては、建物の区分所有者が建物の共有部分を合有している関係、共同相続人が遺産を分割しないで被相続人の企業を継続している関係、共有物を利用して事業を経営している関係、講親のない講関係、会社設立のための発起人団体の関係などとされ、いずれも現代社会の最重要部門とはいえない。それらは法人を構成し、むしろ権利能力ない社団を構成する。

終身定期金の非重要性

終身定期金はほとんど行なわれない。終身的扶養は、今日のところ親族的扶養と社会法的な年金制度で保たれており、取引法の領域でことを解決しようとしても無理である。

和解内容の変質

和解は重要な機能をもつが、その予定した近代的権利義務に関する紛争や互譲と並んで、むしろそれ以上に契約確定的意味をもつ紛議もあるであろう。これを示談などとして除外すべきかは再考されてよい点である。

法適用のための契約規定の解体と再組織

以上、典型契約のそれぞれについて考察したところからみれば、それらはもはや現代社会に数多く一般的に行なわれる契約の典型とはいいがたい。実社会に優勢を示す契約は、少なくもその具体的な形においてはほとんど取りあげられていないし、逆に、今日その存在をみ出しがたいようなものがかえって多数規定されている。このことは、民法制定当時の経済の実状や見とおしから考えてけだしやむをえないことであったろう。しかし、契約の章にあれだけのものを集め規定したことは、これによって当時の重要なもの、もしくは近い将来に重要化するならんと考えられるものを網羅し、その補充規定たらんことを期したことはあきらかである。今日、当時と同じ考えをもって、あらたな典型契約を構想する必要は多いと思われる。いずれにせよ、事情かくのごとくであるゆえに、今日の典型契約の規定は、その名を負う契約についてもそのままに適用することができないものになる。委任における告知の自由が、委任の型によって制限されるのはすでにみたとおりである。逆に別の名の典型契約の規定を適用すべき場合も生ずる。被傭者が、雇傭終了後応急処分をする場合に委任の場合の規定が適用されるなどである（六五四条）。結局、「或る契約が特定の典型契約に属するとしても其の典型契約の前提とする事実が存しないなら其の規定を適用すべきでなく、逆に他の典型契約の規定の前提する事実が存するときは其の規定を適用すべきである」ということにならざるをえない（来栖・債権各論一七二頁）。この立場に立てば、典型契約と非典型契約とを区別することはほとんど意味のないことであり、要するに個々の契約規定の前提する事実の存在を確認してその規定を適用するのが問題で、規定の類別はおおざっぱな索引図に過ぎない。したがって、その適用は、高度の解釈学的素養を要するきわめて困難な仕事となってくる。この仕事が、いり組んだ、ひどくむずかしいものになってくればくるだけ、典型契約の規定はそれだけ一般からは近づきがたい、多義的な、誤解多いものとなってゆくのも避けがたい。経済生活の発展や分化に規定を順応させようとする努力は評価されねばならないが、その効果はかならずしも悦び迎えられる形では実現されてこないのである。

あらたな契約典型構成の必要

もちろん、契約の章に、あらゆる現実の契約を網羅することは不可能であり、それは契約の自由を認め、合意の補充規定たることを期した趣旨にも反する。また、根本的な共通性を看過し、そのやや異なる点だけに注目して、数多くの煩瑣な補充規定を設けることも、不当であるに違いない。しかし、そういう反省を伴った上で考えてみても、規制の現状はおそらく十分なものと認めがたいであろう。このことは、やや実際的ならんとする契約各論の書がどれだけ契約の章下にある規制を離れて議論を展開しているかを調べてみればあきらかである。その議論を、各種の契約のいわば構成要素の組合せとして展開しているのだと弁明することはできても、そのような組合せの努力を少なからしめることが望ましいという要望には耳を傾けねばならないだろう。そして、そういう構成要素そのものさえも、かならずしも十分には提供されておらず、ある場合は無用に提供され過ぎているという非難も、容易に弁疏しがたいものであるようにみえる。かえって、これら学説の努力を踏まえて、それがよし完全でなく、また違った法体系の混合物のような形を呈するにしても、より実際的な契約各則の再構成が考えられてよいのであり、そうでなくては、典型契約の規定のもつ現代的意味は最小限のものに止まってしまうおそれがある。

（高　梨　公　之）

第一五問　瑕疵担保と錯誤とはどのような関係にたつか

問題の所在

民法は、一方で、法律行為の要素に錯誤のある意思表示を無効としつつ（九五条）、他方で、瑕疵ある物の売買を有効とし、売主に担保責任を課している（五六〇条―五七〇条）。あとの場合、悪意の買主については錯誤を問題にする余地がない。これに対し、目的物の権利関係・数量・性状などに関し瑕疵がないと誤信した買主は、錯誤者にほかならないが、かかる錯誤は、いかにその程度がひどくとも要素の錯誤にはならないのか。そもそも要素の錯誤か否かは、どのような観点からきめらるべきものなのか。これが、両制度の関係についての第一の問題点である。第二は、かりに、目的物の権利関係・数量・形状なども売買の要素になりうる、したがって、それについての錯誤も要素の錯誤になることがある、としたら、売買の「効力」をどう調整したらよいのか。いいかえれば、錯誤の規定と瑕疵担保の規定とはいずれがさきに適用さるべきか、が問題になる。まず、第一の問題から検討してみよう。

意思主義的錯誤論と瑕疵担保との関係

売主の、善意の買主に対する担保責任の内容は、瑕疵の種類や程度に応じ一様ではないが、立法の原理が、買主保護と取引の安定との調和にあることは容易に推察できる。これに対し、錯誤の制度が、どのような観点から定められ、運用さるべきものかは、規定の文言からは必ずしも明らかではない。たとえば、つぎのように考えることもできる。

意思表示は、内心の効果意思を外部にあらわす行為であり、かかる意思を欠く行為は、たとい外部からは意思表示とみえようとも、意思表示としての価値がなく、原則として無効である。法律行為の本質的部分(要素)について表意者に錯誤があった場合も同様で、外見上は意思表示とみえても、効果「意思ノ欠缺」(一〇一条)の故に無効になる。では、「本質的」部分の錯誤か否かは、どのようにしてみわけるのか。種類物の売買とか貸借とかは、物の種類を要素とする行為の類型であり、大麦か小麦かといった種類の錯誤ないしこれに準ずるような量の錯誤は、要素の錯誤だが、品質(四一〇条)とか引渡の場所(四八四条)とかの錯誤は、派生的部分の錯誤にすぎない。また、特定物の得喪を目的とする行為にあっては、特定の物、つまり甲物か否かを要素とするものであり、したがって、甲物か乙物かといった物の同一性についての錯誤ないしこれに準ずべき、物の本質的性質についての錯誤——金製と思って銅製の花瓶を買う——のみが要素の錯誤であって、目的物の権利関係・数量・品質などの錯誤は、たとい表示されていようと、ことごとく派生的部分——性質ないし動機・縁由——の錯誤にすぎない。つぎに、「錯誤」かどうかは、表示され効果意思に即応する内心的効果意思があったかどうかという観点から判定すべきもので、特定の瓶に入っている酢を酒と思って売渡（買受）の意思表示をするのは、物の本質的性質の錯誤となる。――こうした意思主義的な錯誤論は、さらに、つぎのように発展する。特定的売買における売主の義務は、たといどのような瑕疵があろうと、あるがままの状態で、物を引き渡すことにつきる。したがって、買主は、以後、目的物についての権利関係や物質的瑕疵を見出しても、売主に対し、債務不履行の責任を追及しえないし、また、契約時に、かかる瑕疵がないと誤信したことは、派生的・非本質的な錯誤にすぎないから、売買の無効を主張して既払代金の返還を求めることもできない。しかしこの結果は、売買の有償性、対価的給付関係を考えると、買主に酷である。そこで、法律がとくに公平の見地から認めたのが売主の担保責任である。――要するに、錯誤と瑕疵担保とは競合の余地がない（三宅「売主の担保責任と錯誤」契約法大系Ⅱ一二五―一二六頁。なお、北川「契約責任の研究」一六九頁以下は、意思主義的錯誤論と、瑕疵担保論における法定責任説および特定物売買に限定する説との関連性を歴史的に追及し、これを特定物のドグマとして批判している）。

ところで、民法起草者の一人は、つぎのように述べている。「金瓶ヲ買フノ意思ヲ明示シテ誤テ真鍮ノ薬鑵ヲ買ヒタルカ如キハ……意思ノ欠缺アルモノト云ハサルコトヲ得ス……之ニ反シテ唯買主ノ意中ニ於テ真鍮ノ薬鑵ヲ金瓶ナラント臆断シ此錯誤ニ因リ……薬鑵ヲ買フニ至リタリトスルモ是唯買主カ契約ヲ為スニ至リタル理由ニ過キスシテ……契約ノ要素ニ錯誤アリト云フコトヲ得ス」（梅・民法要義（総則編）二〇九頁）。こうした表示主義的な錯誤論は、その後の判例および多くの学説に継承され、要素の錯誤か否かは、ほぼ、つぎの基準により決すべきものとされるようになった。(1)要素の錯誤は「意思表示ノ内容ニ存セサルヘカラサルハ当然ナリ」、(2)「意思表示ノ内容ナル者ハ抽象的ニ一定スルモノニアラスシテ各個ノ具体的表示ニ依リ夫々定ルモノナレハ……通常意思表示ノ縁由ニ属スヘキ事実ト雖表意者カ之ヲ以テ意思表示ノ内容ニ加フル意思ヲ明示又ハ黙示シタルトキハ意思表示ノ内容ヲ組成スルモノトス」、(3)「意思表示ノ内容中錯誤アル部分ニ関スル表意者ノ利益ヲ考量シ当該ノ場合ニ付キ合理的判断ヲ下スモ其錯誤ナカリセハ表意者カ其意思表示ヲ為ササルヘカリシモノト認メラルル場合ニ於テ所謂法律行為ノ要素ノ錯誤存在スルモノトス」(大判大正三年一二月一五日民録二〇輯一一〇一頁)。

ところで、このような錯誤論においては、一方で、私的自治にもとづく条件との関係が、他方で、意思と動機の区別の当否が、問題になる(川島・民法解釈学の諸問題一八八頁)。この点をより具体的にみてみよう。

(1) 売買に際し、買主は、明示または黙示的に、種々の——たとえば、目的物が一定の品質を備えているならば、といった——条件を買受の意思表示中に加えることができる。この場合、明・黙いずれにせよ、買主がそれを承諾するのでなければ、売買は成立しないことはいうまでもない(五二八条)。

(2) しかし、すでに目的物に瑕疵があり、条件が実現されえないものであることを表意者が知らない場合は、「条件付意思表示の内容中」に錯誤があることになる。

(3) この錯誤が、要素の錯誤かどうかは、表意者の利益を考慮し、合理的に、すなわち、取引社会のことも考え、かかる錯誤がなかったなら買受の意思表示はしなかったであろうという観点からきめる。そうして、目的物の瑕疵の程度がひどく、契約の目的を達成しえないと認められるような場合は、「常識的」にいって、表意者はもとより、他の人も買い受けなかったに違いないとみられる。

判例の立場

おそらく、こうした観点からであろう。中古電動機を一三〇馬力のものとして買ったが、三〇ないし七〇馬力しかないので、買主が売買の無効を主張し、代金の返還を求めた事案で、判例はつぎのようにいう。「当事者カ特ニ一定ノ品質ヲ具有スルヲ以テ重要ナルモノトシ意思ヲ表示シタルニ、其ノ品質ニ瑕疵アリ若ハ之ヲ欠缺スルカ為メ契約ヲ為シタル目的ヲ達スルコト能ハサルトキハ、法律行為ノ要素ニ錯誤アルモノニシテ民法第九五条ニ依リ無効ナリトス」（大判大正一〇年一二月一五日民録二七輯二一六〇頁。この見解は、そのまま最判昭和三三年六月一四日民集一二巻九号一四九二頁に引きつがれている）。ここでは、要素の錯誤か否かという形で、(1)にしめした条件付意思表示の解釈論が行なわれているのである。

品質保証の条件の解釈

では、純粋に条件付行為の解釈という形で問題をとりあげると、どういうことになるか。品質担保の条件は既成条件であり、これを停止条件とみるか解除条件とみるかで、結果が違ってくる。停止条件とみれば、売買は無効となる（我妻・債権各論中一頁・三〇一頁、柚木・売主瑕疵担保責任の研究二九三―二九四頁、三宅・前掲一三一頁などは、一般論として、一定の品質を備えることを条件とした場合は、付款の効力として無効になるという）。この解釈の基準になっているものは、おそらく(3)と同じであろう。しかし、要素の錯誤であれ、付款の効力によるものであれ、売買を無効とすることは、結果的には、品質担保の条件を「担保ノ責任ヲ負ハサル旨ヲ特約シタ」（五七二条）のと同視することになる。もし、こちらの基準を重視し、解除条件とみるならば、売買は無条件となり（一三一条二項）、瑕疵担保の規定が適用されることになる。いずれが適当かをきめるためには、さらに、売買無効と瑕疵担保制度適用の結果とを較量してみなければならない。

錯誤無効と瑕疵担保との差異

錯誤または付款の効力として売買が無効となるときは、買主は、不当利得の規定にしたがい、既払代金の返還を請求することができる。この場合の時効期間は一〇年である。また、契約未履行の場合は、永久的に無効を主張することができる。この無効を何人も主張できるかについては問題がある。錯誤についていえば、それが無効とされる根拠は、意思欠缺のためなのか、錯誤者保護のためなのかによって違ってくる。一般論としてはともかく、判例は、実際面ではあとの考えかたにしたがっているように推測される。これに対し、瑕疵担保によ る場合――目的物の瑕疵のため契約目的を達成しえないような場合にかぎり――善意の買主は、契約を解除し、原状回復という形で代金の返還を請求しうるほか、損害賠償を請求することができる。この権利の行使期間は、権利の全部が他人に属する場合（五六二条）および担保権による制限がある場合（五六七条）を除いては、瑕疵を知ったときから一年である。

問題をより掘り下げる必要はないか

こうみてくると、決定的な差異が、損害賠償請求権と、一年の権利行使期間にあることは明らかである。しかるに、瑕疵担保と錯誤や付款との競合が問題になるのは、当事者が損害賠償を求めない場合なのであるから、結局、焦点は、一年の権利行使期間にしぼられることになる。この点をもう少し掘り下げてみよう。

第一に、法律構成の如何によって結果（判決）が異ならない——瑕疵ある物の売買で、瑕疵なきことを条件とした買主の、既払代金の返還請求を認める——場合、裁判所は、錯誤・条件・瑕疵担保の、どの規定により処理するのがもっとも能率的か。それぞれの要件を比較対照してみれば、おそらく、瑕疵担保によるのがもっとも能率的といえるであろう。では、第二に、当事者が、それと異なる法律構成をしてきた場合、裁判所は、それに捉われなければならないか。この点は訴訟法の問題だが、新訴訟物理論による場合はもとより、旧訴訟物理論によっても、「法律関係の錯誤」の理論により、捉われないものと解されるであろう。第三に、捉われる必要がないのに、捉われたとすれば、それは、法令の適用の誤りとして上告理由になるか。判決に影響がないばかりでなく（民事訴訟法三九四条）、もし、問題を肯定するとすれば、かえって、非能率的な結果になるから、上告理由にならないと解されることになろう。民法学者のほとんどは、判例と異なり、錯誤の規定を排除し、瑕疵担保の規定によるべきことを主張するのであるが、以上の点についてはふれるところがない。はっきりしているのは、一年の権利行使期間経過後は、錯誤制度による救済を与ええない、とする点だけである。しかし、この点については、さらに解決を要する問題がある。判例は、この一年を除斥期間とみ、解除権・代金減額請求権を期間内に裁判外で行使すれば、一般の消滅時効にかかるまで、原状回復ないし減額部分の償還請求権は保全されるとしており（大判昭和一〇年一一月九日民集一四巻一八八九頁）、この見解は、多数説の支持を受けている。これによると、無効を理由とする請求権との差はなきにひとしく、したがって、さきの第一から第三の問題に還元されることになる。もっとも、一年の権利行使期間に関する判例の解釈は、目的物の瑕疵に基づく紛争を早期に解決しようとした立法の趣旨に反するきらいがある。そこで一部の学者は、一年の期間を除斥期間としつつ、裁判上の行使を要するとし（我妻・前掲二七九頁、柚木・前掲三六〇頁）、あるいは、請求権の短期消滅時効を規定したものと解している（川島・判民昭和一〇年度一一三事件）。この解釈を是認するかどうか――これが、瑕疵担保・錯誤・条件の競合・非競合をきめるキーポイントであるが、なお、問題とすべきことがある。それは、種類売買の目的物に瑕疵があった場合である。この場合、買主が、担保責任を負うのか、それとも、不完全履行の責任を負うことになるのかについては、周知のように争いのあるところだが、いずれの解釈にせよ、責任追及の権利の行使期間については、商法五二六条を類推適用することの可否が問題となるであろう。

（篠原弘志）

第一六問　消費貸借の予約と諾成的消費貸借との関係はどのようなものか

消費貸借の事実的な過程

消費貸借は、ときには簡単な、ときには複雑な交渉の末、種々の形式・内容の貸借を約し、金銭その他の物を授受する、という事実的な経過をたどるのを常とする。この貸借約束には、貸付・弁済のほか、利息約款を含む場合もあるし、そうでない場合もあるが、現代の社会では後者、とりわけて金銭貸借が恒常的であることはいうまでもない。ところで、一〇〇万円を向う一ヵ年間、年一割五分の利息で貸し付ける、という約定は、社会経済的な観点からすると、一〇〇万円という商品ないし資本を一一五万円で売買するにひとしく、かような取引行為については、他の取引行為におけるのと同じように、その内容の全面的な実現が――いいかえれば、合意は守らるべし、ということが――取引社会において、期待され、要求されるようになる。しかし、民法は、売買や賃貸借などと異なり、屈折したしかたで、この期待にこたえようとした。

消費貸借法の仕組

まず、利息に関する約定は、利息制限法に反しないかぎり、その有効性が保障される。つぎに、「返還ノ約」定は、借主が、「相手方ヨリ金銭其他ノ物ヲ受取ル」行為と結びつくことにより、一の消費貸借契約と成り、「其効力ヲ生ス」る（五八七条）。すなわち、民法上の消費貸借は、(イ)要物契約であり、貸主の返還債権は、物の授受の限度で、かつ、その時に発生し、(ロ)借主側には何の権利もない、つまり、消費貸借は片務契約である。では、貸付の約定により、貸主は、貸し付ける債務を負わないのか。民法は、この点を「予約」（五八九条）の解釈の問題とする。そして、起草者は、現時の多くの学説と異なり、貸借の約定そのものを予約と考えていたようである。すなわち――消費貸借は、「初メ予約ナリシモノカ物ノ授受ニ因リ純然タル消費貸借ト為」るのであり、かかる「予約ハ固ヨリ有効ナル契約」で、その効果として、「貸主ハ借主ニ物ノ所有権ヲ移転スル義務ヲ負フコト」になる。それゆえ、諾成契約としての「予約ハ双務契約ナルモ消費貸借ハ片務契約」なのであり、したがって、消費貸借を諾成契約として規定しなかった「結果ハ殆ト理論上ニ止マリ敢テ実際ノ利害ナキモノト謂フテ可ナリ」（梅・民法要義（債権編）五八三―五八六頁）。

しばしば立法は妥協の産物といわれる。以上のような消費貸借法もまた、その例外ではなかった。すなわち、立法者は、わが国の旧慣や諸外国の立法例が消費貸借を要物契約としていたという歴史の重みも無視できなかったし、さりとて、合意は守らるべしという資本制社会の基本的な要請も無視できなかったのである。そうして、取引社会の発展・成熟につれて、消費貸借法における目的物給付（貸付・借受行為）の意味は、しだいに変化してゆくことになる。その極致が諾成的消費貸借の承認にほかならないのだが、それははたして、起草者のいうように、理論上の問題にすぎないのかどうか、それをつぎに検討してみよう。

諾成的消費貸借論の効用

消費貸借の予約を諾成・双務の契約と解しても、それが予約であるかぎり、貸主の返還債権は、貸付（借受）の限度で、その時に発生する。これに対し、諾成的消費貸借にあっては、一般に、約定のときに、貸し付ける債務と同額の返還債権が発生する。もっとも、貸し付ける債務は、返還債権に対しつねに先給付の関係に立つ。この差が、実際の利害にどう影響するか――貸付が問題となった事例に即して比較するとこうなる。

(1) 金銭の貸借を約諾しながら、現金の交付にかえて、小切手・手形・国債・預金通帳と印鑑などを交付し、あるいは、借主の指示で第三者に金銭を交付した場合、判例は、つとに「縦令現実ニ金銭ヲ授受セサルモ借主ヲシテ現実ノ授受アリタルト同一ノ経済上ノ利益ヲ得セシムルニ於テハ其ノ金額ニ付消費貸借成立スヘキ」ものとしている（大判大正一一年一〇月二五日民集一巻六二一頁）。諾成的消費貸借を認める場合には、これらのことも、合意にもとづくかぎり、かつ暴利にならないかぎり有効ということになる。

(2) 返還債権が貸付により生じるとすれば、貸付の立証責任は貸主側が負う。これに対し、諾成的消費貸借を認める場合はどうか。貸主が貸付（先給付）の立証責任を負うとする立場もあり（石坂「要物契約否定論」民法研究下巻六八五頁）、また、借主側で貸付を受けないことの立証責任を負うとする見解もある（我妻・債権各論三五五頁）。貸付のないことを立証するより、あったことの立証の方が、はるかにたやすい。また、貸付は、弁済期の到来などと同様、返還債権行使の条件とみることができ、そうとすれば、貸主側で貸付の立証責任を負うと解すべきことになろう。ちなみに、賃貸借の貸主が目的物の返還を求める場合には、貸主側で貸付の立証責任を負うと解されている。

(3) 法律の平面では、担保権は債権に付従するが、金融取引の実際では、物的・人的な担保力が、貸借約束の内容を規定し、貸主は、投下資本（元利金）の確実な回収をめざし、借主の同意のもとに貸付に先だって抵当権を設定し、保証人を立てさせ、あるいは貸付済であることを記載した公正証書を作成し、しかるのちに貸付が行なわれる。この場合、あとになって借主が消費貸借の要物性をたてにとって、抵当権設立や公正証書の執行力を否定することは、合意は守らるべし、という取引の道徳に違反する。判例は、担保権については、古くから付従性を緩和し、将来の債権についても有効に成りたちうるとした（大判明治三八年一二月六日民録一一輯一六五三頁）。ところが公正証書については、当初、「公正証書ニハ金銭ノ授受ニ因テ成立スル貸借ヲ為シタル旨ノ記載アルニ実際ハ証書作成後ニ金銭ヲ授受シタルトキハ其記載事項ハ即チ現実ノ事実ニ吻合セサルモノナレハ前掲ノ公正証書ハ之ヲ以テ強制執行ノ債務名義ト為スヲ得ヘキモノニ非ス」(大判明治四〇年五月二七日民録一三輯五八五頁)という趣旨の判決がくりかえされた。しかし、やがて一般論として、「請求ノ発生原因トシテ記載セラレアル事実ナルモノカ多少実際ノソレト吻合セサルトコロアルモ苟モ右ノ記載ニ依リ問題タル請求カ具体的(換言スレハ他ト区別シテ)認識シ得ラルルニ妨ケ無キ以上当該公正証書ハ尚当該請求ニ対スル有効ナル執行名義タルヲ失ハス」(大判昭和五年一二月二四日民集九巻一一九七頁)とする判決が生まれ、この趣旨を体し、公正証書作成から五日後に貸付が行なわれた場合(大判昭和八年三月六日民集一二巻三二五頁)、二ヵ月半後に貸付があった場合(大判昭和一一年六月一六日民集一五巻一一二二頁)など、いずれも、その執行力を肯定した。これらの場合、諾成的消費貸借を認めるとどうなるであろうか。約諾と同時に返還債権が生じるのだから、担保契約の有効性は容易に肯定できる。しかし公正証書については、約諾にもとづく返還債権について、執行認諾の記載はあるが、貸付のあったことについて記載がなければ、貸主に先給付(貸付)義務のあることは明らかである。同時履行の関係にたつ債務名義の場合、債権者は、執行開始の際(民事訴訟法五二九条二項)、自己の債務を履行し、または提供したことを証明書で証明すべきだと解されているが(判例・通説)、それは、執行吏に反対給付の有無を判定させても、相手方に不利益がないということであり、また、その方がいっそう同時履行の趣旨に合うからでもあった。そうだとすると、先給付の場合には、その履行のあったことの証明は、執行文付与の要件と解される余地が生ずる。

(4) 旧利息制限法には、天引に関する規定がなかったので、判例・学説は錯綜していた。しかし現利息制限法は、この点について規定を設け、「利息を天引した場合において、天引額が受領額を元本として前条第一項に規定する利率により計算した金額を超えるときは、その超過部分は元本の支払に充てたものとみな」した(同法二条)。この規定は、天引も、実質的にみて、制限内であれば——たとえば、五万円を向う一年間、年二割、利息として八千円を天引する約定にもとづき、四万二千円を交付した場合——完全に有効、それ以上の場合は、超過部分を約定元本額の支払にあてたものとみよう、というのであり、諾成的消費貸借の考えかたに立つものといえよう。これに対し、要物性を重視するならば、「現実の手取額についてのみ消費貸借は成立し、この手取額を元本額として利息制限法を適用すべき」ことになる(西村「利息制限法批判」私法学論集下四七七頁—四七九頁)。どちらにしても、返済すべき額にはかわりがない。

こうみてくると、「実際ノ利害」には、ほとんど差がないといってよいであろう。

ところで、現時のほとんどの学説は、諾成的消費貸借の有効性を認めている。それと引きかえに、予約論の内容は、さきに示したものとはかなり違うことになった。すなわち、消費貸借の予約とは、文字どおり、要物契約としての消費貸借の予約であり、これを完結するには、貸借の合意をして目的物の交付を受けなければならないとしている。そうして、当事者は、諾成的消費貸借・要物契約としての消費貸借ないしその予約のいずれをも、契約自由の原則で選択でき、「契約証書が作られる場合には、一般にかような諾成的消費貸借とみるべきもの」とされる（我妻・前掲三五〇頁）。しかし、立法がしばしば妥協の産物であったのと同じように、こうした解釈もまた妥協とみられなくはない。なぜかといえば、諾成契約としての消費貸借を認めるということは、どのような形式によるにせよ、一次的には、当事者の「合意」内容から、権利の発生や行使の諸条件をひき出そう――合意は守らるべし――という態度を意味するものだからである。消費貸借における右のような状況が、過渡期的な現象であることは、売買の場合とくらべてみるといっそうはっきりしよう。ここでは、代金を払わなければ売らないといわれ、やむなく代金を払って売買する場合――要物契約――も、法律上は諾成契約とされるのであり、また、不動産売買などでは、手付をうってはじめて売買が成立すると考える当事者も少なくないのだが、法律家は、これを成約手付と認めることはないのである。

はじめにみたように、民法は、一の取引行為にほかならない消費貸借の約定を、さまざまに解体してしまうのであり、不自然であることは明らかである。諾成契約としての消費貸借を認めることは、約諾を基点として権利義務関係を評価しようとするものであって、おそらく、法技術的には、それのみを認めれば十分といえるかもしれない。もっとも、非取引的な無利息消費貸借の場合には、それが贈与に類することにかんがみ、書面によらない場合や、貸付前の合意は、いつでも取り消しうるものと解すべきであろう（末弘・民法雑記帳下巻五四頁、広中・契約法の研究七六頁）。

（篠　原　弘　志）

第一七問　賃借権の相続にあたって賃借人の同居者はどのような地位を認められるか

借家人の死亡による同居者の居住権の消長

借家人の死亡は、かれとの縁故によって同居していた者にどのような影響を与えるであろうか。そのまま居住を続けられるのが望ましいには違いないが、ことは一概にいえない面もあり、相続法との関係ではそのような処理は極度にむずかしい。しかし、均分相続制の実施や住宅難にも影響されて、この種の問題が大きくクローズ・アップされてくると、解釈論もまたこれにノー・タッチではいられない。情誼や良識による話し合いに代わって、可能な解釈学的努力を打ち出していかねばならぬ立場に追い詰められる。この点をめぐって、幾多の試案が提出されたのは当然であった。もちろん、ことを立法で処理することが一番には違いない。

――改正要綱の考えかた

現に、昭和三四年の借地借家法改正要綱試案は、「居住の用に供されている建物の賃借人が死亡した場合において、その死亡の当時その建物に賃借人の配偶者又は二親等内の親族（賃借人との内縁によりこれらの者と同様の関係にある者を含む。）が同居していたときは、その同居人（その建物が居住以外の用にも供されているものであるときは、その同居人及び賃借人の相続人。以下「同居人等」という。）は、共同して賃借人の有していた権利義務（死亡前の借賃及び敷金に関する権利義務を含む。）を承継する」、「前項の同居人等がないときは、賃貸借は、賃借人死亡の時に消滅し、賃借人の死亡前の借賃及び敷金に関する権利義務は相続財産に属するものとする」と提案した(四二)。昭和三九年の要綱では、「居住用建物の賃借人が相続人なしに死亡した場合において、その死亡の当時その建物に賃借人と生計を一にする者が同居していたときは、その者は賃借人が有していた権利義務（死亡前の借賃及び敷金に関する権利義務を含む）を承継するものとする。ただし、賃借人の死亡後一月内に、賃貸人に対して反対の意思を表示したときは、この限りでない」と提議する。しかし、当面の問題を処理するに必要な解釈論を構想することはさしあたっての急務であり、それが立法論を手当する実質的基礎を提供する点も忘れられてはならない。まず、学説を概観してみよう。

相続された賃借権にもとづいて居住できるとする説

賃借権は財産権であるから、それが相続の対象にならないとはいいかねる。さりとて、相続人でない同居者、とくに内縁の妻などが、相続権をもたないことによって立退きを迫られるということも忍びない。そこで、賃借権の相続は相続としてそのままに認め、内縁の妻など同居家族を相続人の占有補助者とし、少なくも相続人の賃借権を援用しうるものと解する立場がある。この立場には、賃貸人に対する関係は解決しえても、相続人に対する関係を処理できない、相続人から立退きを請求されたら打つ手がない、さらに、相続人が賃料債務を負わせられて酷である、という非難が加えられている。

家団の持つ賃借権が継続すると考える説

そこで、家屋賃貸借は、家主と、賃借人を代表とする家団ないし生活共同体との間に締結されるもので、賃借人個人の死亡にかかわらず依然存続する、と考える立場が生ずる。しかしこのような見解は、民法の体系のうちに矛盾なく組み入れられにくい。相続財産など、その大部分が家団所有で、相続の対象とはならない、などと説かねばならなくなりそうである。

居住権によって賃借権を取得できるとする説

同居者に直接賃借権を与えることがむずかしく、またそれをどのように近代的に構成しても同居人グループに賃借権を認めることが困難であるところから、あたらしい立場はこれを特別の権利を媒介して同居人に与えることを考える。すなわち、相続の対象となる賃借権とは別に、いわゆる居住権と名づける権利を考え、それは賃借人の同居家族であることによって当然取得する借家法上の権利であって、同居者の同居が賃借権の基礎を失ったとき、ふたたびこれを回復するよう、当然に、あるいは譲渡・転貸請求により、借家権を取得しうるものだ、と説明する。すぐれた発想であるが、借家法の更新拒絶や解約の制限に正当事由を要する旨の規定(一条ノ二)から、その予想していないこの種の場合の規制を抽き出すことには躊躇を感ずる。

内縁の妻に相続権を認める説

そこでふたたびもとに戻り、現行法解釈の問題としては、内縁の妻についてその準婚的取扱いを相続にまで拡げることで解決するのが穏当ではないか、とする立場が生ずる。事実上の養子なども同じ扱いでいけるであろうか。ことを居住家屋の賃借権に限る適切な理由はたちにくいから、相続はすべての財産について生ずるということにならざるをえまい。その結果、相続人の明確性が害され、相続の画一性も保ちがたくなるおそれが生ずるし、兄弟姉妹などの同居人は救いえないということも起こりうる。そして、他の相続人と競合する場合には、たとい協議に可能性が多く、審判に期待が十分であるとしても、なおかつ賃借権が同居相続人に分割されないことだって生じうる余地がある。穏健で実効多い提案ではあるが、一面にためらいが、他面にもの足りなさが感じられないでもない。

同居者への死因贈与を推定しようとする説

同じく現行法の枠内で議論を進めれば、当面の問題の処理としては、内縁の妻や事実上の子、場合によっては生活を共同にする兄弟姉妹などの居住家屋賃借権の継承を、推定される死因贈与に求めることだって不可能ではない。非常に突飛な擬制のようにもみえるが、考えればその実質は十分にあるともいえる。死亡した賃借人が、死にいたるまで同居し生活を共同にしていた者に対し、かれの死後賃借家屋から立ち退かせようと考えていたなどということは、原則としてありえない。かえってその死後も変わらない賃借家屋の利用を望むのが一般である。現状のままそのことを持続させる法的な手段は賃借権の譲渡しかありえないから、かれの意思を法的に構成すれば賃借権の死因贈与意思とするほかない。いったい、私所有権絶対の思想から生まれた近代的相続は、被相続人の意思に従うのが原則であり、それゆえ法定相続は遺言に遅れ、被相続人の意思を推定して相続人や相続分を定めるのが本来である。この意味からいえば、こういう推定を受けている配偶者・子・親・兄弟姉妹などが共同生活者である場合、これに準じてもいいという説さえある内縁の妻や事実上の子がそうである場合などでは、死因贈与の意思は強く存在するはずである。もちろん、共同生活者側の対応する受贈意思も存在しないはずがない。日常の共同生活の合理的解釈はそのような判断を否定しない。もっとも、それは、黙示の、書面によらないものであるには違いないが、賃借人死亡の時も共同使用に任せていたことは、すでに履行を終わったものとみて支障ないであろう(五五〇条)。賃貸人がこの譲渡を拒絶しえないという構成はさほど困難ではない。相続のように一義的解決ができず、個々の契約の存否に依存する弱みはあるが、逆に生活共同者でないものを排除できる長所もあり、この合意に対する顕著な反証は挙げにくいだろうので、こうした立場をとることの経過的意味はかなり大きいと思う。農地その他、共同生活者の生活源を形成する遺産などについても、ほぼ同様な理解が可能である。

同居人の利用を伴った賃借権が相続されるとする説

以上の議論がやや擬制に過ぎ、また賃借権継承の統一性をみだすと考えるなら、もう一つ別種の構想も考えられる。まず、相続人が別にある場合、死亡した賃借人と共同生計をたてていた同居者の地位を現状のままに維持する途がないか、それだけを考えてみたい。相続人

同居者の使用を中途で告知させない方法

は賃借権を相続するが、かれは被相続人がそうあった利用状態で賃借権を取得すれば足るであろう。それが賃借人の内妻や事実上の子、あるいは親・兄弟の使用に供されている場合なら、そういう被利用状態にある賃借権を取得するだけの話である。これらの者は、相続人に対し従来どおりの使用を主張しえ、またそのことによって賃貸人に対抗できると考えられるなら、お誂え向きというべきである。ところが、この点についてはいくつかの難点が生ずる。この種の同居人らの使用は、一種広義の扶養関係と解されるのが普通で、場合によると使用貸借類似の関係とみられることがある。そうだとすると前者は、賃借人の死亡によって、相続人固有の関係で別にそれが発生する場合を除き当然消滅するのではないか、また使用貸借的なものであるなら相続人がいつでも告知できるのではないか(五九七条三項)、という疑問が生ずるのである。いったい、これら同居者の家屋使用は、賃借人の生活それじたいの展開であったり、親族的扶養義務の履行であったり、単なる好意であったりして、格別の法的判断に親しまないのだが、その基礎が消滅してことが法的処理に移されるに及んでは、これになんらかの法的評価をしないでは済まない。そして、その使用が無償であるゆえに、共同生活の事実がいわば翻訳されて使用貸借的な合意ということにされるのである。そうすると、すぐ問題になるのが告知の自由だが、それは使用貸借で使用・収益の目的が定まっていないときの話である(五九七条二項・三項)。共同生活の事実に使用貸借的合意ないし関係をみるなら、同じ事実のうちに使用・収益目的の存在をみるのが当然であろう。そう考えれば、内縁の妻には終生の、事実上の子にもほぼ同様の使用目的をみることはむしろ容易であろう。単純に好意的なものについては、この種の目的はないというべきだろうか。この考えに立てば、賃借権は相続人のもとにいくが、内縁の妻などは終身の使用権をもつことになって心配ない。もっとも、賃借人が内縁の夫のときのように共同生活関係はないわけだから、家賃などを相続人の負担に帰せしめる法的原因はない。不当利得の求償には応じなければならぬだろう。賃借人は、いわば義務だけもって実益のないばかばかしい立場に置かれる。さりとて、賃借権を放棄するのは同居者などの使用権を消滅させることになるので許されない。結局、これらの者に賃借権を譲渡するくらいが落ちである。もちろん、この場合賃貸人は譲渡を拒みえない。もっとも、同居者が譲渡を拒めばだめだが、それはあまり起こりそうもないことだし、それこそ賃料不払いで解除を待つ手もあり、賃貸人も解除を拒みはしないだろう。

賃借人の相続人がない場合

つぎに、相続人のない場合であるが、右の考えかたによれば、同居者の使用借権は相続財産の清算手続において考慮されることになる。それも、同居者への賃借権譲渡によってことを解決するのがもっとも簡明そうに思える。また、この場合には、同居者に特別縁故者として財産分与を請求させることも考えられてよい（九五八条ノ三）。賃料債務を伴う点にやや難点はあるが、経過的措置として実効はあるであろう。

同居者の使用を認めようとする考えかたのコースと問題点

1	賃借権は相続人にいき、同居者はそれを援用して貸主に対抗（賃借人の立退要求には権利濫用でいくか）	対賃借人関係の救済がむずかしい
2	賃借権は同居者を含む生活共同体にあって相続は生じない	こういう権利主体が認められるか問題
3	賃借権は相続人にいくが、同居者には居住権があり、賃借権の譲渡を求めうる	居住権を認める根拠の説明が困難
4	賃借権はふつう同居者に死因贈与されており、賃借人死亡の時に履行されているとみて取消しを許さない	やや擬制的色彩がある
5	賃借権は相続人にいくが、同居の目的に従った期間の使用権が負担となっている	負担継続の説明がむずかしい
6	同居人が内縁の妻であるかぎり賃借権を相続しうる	相続を認めるのは問題 内妻以外の救済がない

しかし、どのような議論をしてみたところで、民法の枠内で賃借権を共同生活者へ承継させようとすることには、やはりなにがしかの無理があることを避けえない（篠塚昭次・早稲田法学三五巻一・二冊）。民法は、元来等価交換を原理とする近代法である。賃貸借における使用の提供と賃料の支払とが等価の関係で均衡をえている社会では、賃借権の経済的価値はいわば零である。そういうものを、自分が居住していないにかかわらず、とくに取得しなければならない理由もなければ、それについての利益もない。ところが、社会政策的措置によって、

賃料が経済的な決定を下回らされている社会、そしてその政策を裏づけするに足る住宅の提供が怠られている社会においては、その程度に比例して賃借権の価値が高まることになり、その取得も望まれ、その利益も大きくなるのである。ことは共同生活者にとっても同様でなければならない。社会保障制が確立され、同様の賃料による住宅の提供がある場合には、感情上の問題は別として、とくにその家屋に執着すべき理由はない。この種の問題をめぐっていかに解釈学が苦闘してみても、しょせんそれは、わがままな仕立屋の仕事を「一家の主人に対する畏敬の念から、ひそかにあちこちの縫目を少しばかりほぐし、おくみを入れる」親切な女房の手直しに過ぎない（キルヒマン－田村五郎訳・概念法学への挑戦三五頁）。もちろん、仕立屋は実定法ではなくて、社会政策の現実態そのものといわねばならないが。

（高　梨　公　之）

第一八問　婚約はどのような性格をもつか

民法に規定されない婚約

日本民法には婚約の規定がない。しかし、婚姻は突如として将来されるものでなく、多くは婚約の先行によって完成される。こういう事情に鑑みるなら、婚約についてのなんらかの規制は必須のもののようにみえる。これがなぜ規定されなかったのだろうか。

旧日本の婚約

ところで、日本の旧法制だが、いわゆる結納授受による縁談取極めが古くから公認されてきている。結納の授受は、これによって夫婦関係を成立させるものではなかったが、その後一方が死亡すれば他方は夫婦と同じ日数の忌に服し、また娘が他の男と通ずれば不義として処罰され、いわば準夫婦の取扱いを受け、「祝言せいでも、云号したからは……男の有身」と考えられていたのである（中田薫・徳川時代の文学に見えたる私法一三四―一三五頁）。さらに、他方、

外国法の婚約

有力な外国法制も、婚約についての規制をもっている。ドイツ民法によれば、婚約によって婚姻の締結を訴求することはできず、また婚約不履行を予想して違約罰を約束することもできないが（一二九七条）、重大な理由なくして婚約を解除した者は「婚姻を期待して出した費用または負うた債務から生じた損害」を相手方・その父母・父母に代わって行為した第三者―

—親族や友人といった——に支払うべく、相手方に対してはさらに「婚姻を期待してその財産や営業について行なったその他の処分から生じた損害」をも支払う（一二九八条）。もっとも、相手方に過失があるため重大な理由による解除をさせた場合には、逆に相手方が上述の賠償義務を負う（一二九九条）。要するに信頼利益を賠償することになる。婚姻の締結が行なわれないときは、婚約の徴表として与えられたものを不当利得として返還しあわねばならぬ（一三〇〇条）。そして、これらの請求権の時効は婚約解消後二年（一三〇二条）——である。英米法では、婚約に関する保護は一層厚い。賠償額も多いし、婚約破棄者の責任を免れうる途は狭い。もっともアメリカでは、婚約違反訴訟による婚約保護を廃する州が増加しつつあるが、それは女性の独立性が高まってきた結果だといわれている。こういう事情のもとで、旧民法

旧民法草案の婚約規定と論争

草案までは、「婚姻ヲ為サントスル約束ハ其婚姻ヲ為スノ義務ヲ生セス。然レトモ約束者ノ一方カ正当ノ理由ナク其履行ヲ拒ムトキハ他ノ一方ニ対シテ損害賠償ノ責ニ任ス」という式の規定が考えられていたのである（法典調査会議事録民法親族相続筆記第四函、一三七回（明二八））。この婚約規定が旧民法から削除されたのは、母法であるフランス法がこれを認めない態度を踏襲したものでもあろうが、また他面「当事者ノ承諾ハ此ノ儀式ヲ行フニ因リテ成立ス」（人事編四七条二項）として、この儀式における自由意思の拘束を嫌ったのであろう。梅謙次郎の婚約規定削除意見は、「婚姻抔ト云フモノハ公ノ秩序ニ関スル事柄デアリマスカラ普通ノ契約

ノ目的トハナリ得ベカラザルモノ」、婚約は「法律ニ定メタル条件ヲ備ヘテ始メテ効力ヲ生ズルノデ……夫レヨリ外ニ人ノ身分ヲ極メルト云フヤウナ事柄ハ契約ノ目的トハナラナイ。夫故ニ其契約ハ無効デアル」、「違約シタト云フ許リデ……直グニ賠償ノ原因トハナラヌ」が「事情ニ依ツテ不法行為ト認メラレルカモ知レヌ」というのであった（前掲・筆記五七丁以下）。

現行民法の態度

現行民法はいうまでもなく届出婚主義をとる。挙式し、同棲し、現に夫婦の景状にある男女にさえ婚姻の効力を認めず、また婚姻自由との絡みあいからこれら内縁者間の婚姻届出義務も否認しようとする立場をとるかぎり、内縁のいわばもう一つ前の段階である婚約が問題にされないのも、ある意味で当然のことといえるかもしれない。「両性の合意のみに基いて成立」する（憲法二四条一項）と宣言される以前から、婚姻の自由はすでに立法の理想であったし、その自由は届出婚主義をとるかぎり届出時における自由でなければならない。婚約に届出をさせる権利を認めることは、こういう、届出における合意の自由、つまり婚姻の自由を束縛することになって、認めにくいのである。

婚約は法的な契約でありうるか

しかし、以上のようにいうことは、正常な婚姻にはおおむね伴うはずである婚約状態に対しなんらの保護をも与うべからずということとは全然違う。婚姻の自由を拘束し、婚姻それじたいでなくて婚姻すべきことを義務づける契約を有効としがたいだけであり、したがって、その不履行に対し損害賠償を請求させることは疑問が多いというほどのことである。このこ

――確実な・客観的合意の要求

とは、婚約は一種の身分契約として有効であると考える立場において、逆にはっきり認識される。もし婚約が契約であるとするなら、それは口頭のものでも黙示のものでも、別にいけない理由はない。ところが、判例や有力な学説は、ことさら、婚約の合意は確実な・確定的な・公然の・客観性ある合意でなければならないと説く。もちろん、合意が合意でありうるためには、それが不確実な・未確定の・秘匿された・主観的なものであってはならないが、そういう合意は本来合意でありえないのである。にもかかわらず、こういう形容をつけようとする気持は、どうも、婚約の合意を重々しくとり扱い、普通の合意以上のエトワスをつけ加えたいとするもののようである。ことに、実際的紛争解決の任にあたる判決では、意思の確実性のうちに、結納・挙式・同棲・届出などにわたる詳細な合意を含ませようとし（東地判昭和一二年五月二五日新聞四一三九号三頁）、あるいは婚約によって一種身分上の差異を生ずることを求めようとする（大判昭和六年二月二〇日新聞三二四〇号四頁）。単なる口約束、いや書面による約束でさえも、真意性を欠くものとして無効にされることが多いのである。ということは、正面からみれば、単純な婚約の合意は婚約と認めがたいという態度であって、婚約を婚約たらしめるものはむしろ、合意の上に展開される、公然性あり客観性ある婚約関係そのものであるとするに帰しよう。法的な観察からすれば、婚約があるかないかは、それに認められる法効果があるかないかの問題である。いかなる法効果とも結びつくことのない婚約は、法的にはないに等しい。単純な婚約の合意に法効果がないなら、それは、法的意味における婚約が合意、したがって契約でありえないことを示しているのである。のみならず、かりに婚約が契約として成り立つと考えても、これによって婚姻を強制することはできないといわねばならぬ。その不履行についての違約金を定めることも許されぬと解すべきであろう。してみると、婚約という契約が法的効果と結びつくのは、その不履行に対し損害賠償を請求しうるというところに求められねばならぬ。しかし、単純な婚約そのものにこの効果を認めることはいくえにも躊躇されるので、婚約を契約とする立場は、ここでその契約認定を厳重にし、こうした違和感をなくしようと努めるわけである。もちろん、婚約は人の一生にも関係する重大なものであるから、その成立を厳重にみようとする気持はわかるが、明白な合意があるにもかかわらず、これを支持する婚約状態がないからといって、そこに婚約なしということは契約説ではできない。婚約契約説の実質を維持するためには、その契約構成を否認しなければならないのである。

婚約違反に対してただちに損害賠償を認めることは至難

そこで、婚約は法的契約としては不存在のものとみなければならない。ただし、法がこれを嫌うのはそれが直接・間接の強制力を振うという一点にあるので、婚約が社会的・道徳的意味で締結され、おたがいの納得によって尊重されてゆくことは、否認する理由がない。婚約による婚姻義務を認めたり、その不履行に損害賠償を許したりはできないが、婚約という

婚約の不履行ではなくて、婚約状態破壊の違法性が問題

いわば社会的契約を契機として、そこに累積され、形成されてきた婚約状態は、その不当な侵害から守らるべしという意味での法的評価に価する。つまり、婚約状態を違法に侵害することは、不法行為の問題(七〇九条)を起こすと考えるのである。だれしも、婚姻にいたるまでの交渉には、いくたびの反省があり、数多くのためらいがある。青い月のもとで将来を約したことが重要であることはもちろんだが、それが法的には履行の問題としてとらえられず、不履行に対する損害賠償の問題としてしか把握できないのであってみれば、それは、法的にも強い評価を受けうる、換言すれば婚約破棄の違法度がはっきりする、確定の・確実な・公然性や客観性あるものにまで成長していなければならない。学説や判例が婚約の存否として論じていた点は、法的保護に価する婚約状態成否の問題にほかならなかった。婚約は、したがって、将来婚姻すべき契約ではなく、社会が将来婚姻すべきものと認めるにいたった当事者の地位・状態であり、婚約破棄は婚約の不履行ではなく、こうして認められた地位に対する違法な侵害そのものである。そして、成立した婚約状態の強度と侵害の方法・程度の不許容度がからみあって、破棄の違法性を判定させ、損害賠償請求権を発生させる。この意味では、婚約は間接の法的意味をもつに過ぎない。

婚約状態の強度——破壊の違法性

婚約状態の強度は全体的判断によるほかないが、婚約式の挙行、その案内状の発送、婚約指輪の交換、結納、しばしば結納に先行するタルイレなどは、重大な判定材料となろう。破

婚約理解の二つの方法

	成　立	効　力	
契約説――婚約保護の立場	契約で成立 しかし確実な客観性ある合意を要求するのが有力	履行を訴求し判決を求めうるとするものがある 強制はできない 違約金・損害賠償の予定もできない	違約は正当理由がなければ債務不履行 ――通常信頼利益の賠償と慰謝料請求 ――時効は一〇年
不法行為説――婚約状態保護の立場	契約としては無効 婚約状態があれば保護法益となる	すべてできない	違法な破棄は不法行為 ――ふつうの損害賠償と慰謝料 ――時効はふつう三年

棄の違法性については、むしろこれを阻却する事由が問題となる。従来の生活の重大な特徴――身分・地位・財産・学歴・職業・病気・前科など――について隠したり、嘘をついたりしているとき、とくに不品行があって他に愛人や子供があるというようなとき、性的無能力が判明したとき、婚約後に乱暴・粗野・残酷な行為があり、また不誠実で婚姻の将来が期待されないとき――などでは、破棄の正当理由を形成する場合が多いであろう。契約説では、婚約は正当事由があればいつでも解除できるというが、不法行為説では、正当事由による破棄は違法でなく、不法行為を成立させないだけである。なお、契約説ではしばしば問題となる点も、すべて違法性の判断に還元してよい。たとえば、みずから婚約状態を破壊する行為

をしておきながら、相手方が婚姻を要求するならこれに応ずると主張しても、婚約状態破棄の違法性を認めて不法行為は成立する。婚約を履行するというのに、なぜ不履行責任を生ずるか、説明に腐心する必要はまったくない。未成年者の婚約についても同じ説明で十分である。父母に取消権があるかどうかなど考える要はない。

婚約破棄による損害賠償は不法行為のそれであり、破壊された婚約者の地位が賠償の対象になる。婚約披露の費用、むだになった支度、結婚準備のため有利な勤め先をやめた等々の、積極・消極の財産上の損害が考慮され、とくに精神的打撃に対する慰謝料が、婚約者の年齢・社会的地位・経歴、とくに婚歴・資産、破約の実状、関係の有無などを考え合わせて考慮される。債務不履行説では、婚約を有効と信じたことの損害、いわゆる信頼利益の賠償だけがとれるとする。しかし、その理由づけはかならずしも容易でないのみならず、結果も適切とはいえない。ことに、債務不履行については精神損害の賠償は認めない趣旨と考える立場もあることだし、そうとすると、慰謝料を主とすることになりがちの婚約破棄責任はうまく説明できなくなる。なお、この責任を不法行為責任とすると、「三年間之ヲ行ハサルトキハ時効ニ因リテ消滅」するものとなる（七二四条）。不履行責任とすれば、普通の債権として一〇年である。婚約破棄の責任を一〇年も存続させることは、すべてが平静に帰し、その上にあらたな生活関係が形成されたあとまで、いわば一種のいやがらせの途を残すことにもなり、積極的な生活設計を助長するゆえんでありえない。三年も実は長く、ドイツ法の二年（一三〇二条）、スイス法の一年（九五条）などが望ましいところなのに、まして一〇年も存続させては話にもならない。

婚約を法的にとらえるということは、婚約破棄にどれだけの救済を与えるかということであり、それにはどうも不法行為説の方がよさそうである。もっとも、法的に無効な婚約を侵害したって違法性は生じないではないかという鋭い批判もあるが（永田＝萩原・親族法相続法八五頁）、無効なのは婚姻強制部分であって、将来婚姻すべき者との社会的期待を生ぜしめる部分は放任されている。その他の事情もプラスし、これによって婚約状態が一般から認められる程度にいたれば、それは侵害から守るに価する社会的利益を形成するとみてよいであろう（これらの点については、高梨・早稲田法学三〇巻三八七頁、同・日本法学二二巻二号、同・家族法大系Ⅱ婚姻一頁がある）。

（高　梨　公　之）

第一九問　有責者の離婚請求は認められないか

破綻主義離婚原因の意味

昭和二二年民法は、離婚について破綻主義を採用したといわれる。ところで、その破綻とは、すべての破綻を含むのか、それとも離婚請求権者の責めに帰しえない破綻だけを指すものなのか、規定がかならずしも明白でないまま学説の争いがある。ことは婚姻の本質の認識に由来し、また日本における婚姻の現実とも関連する。考えかたのごく微妙な振れが正反対の結論にまで発展するのである。

判例による有責者の離婚請求否定論は正しいか

この問題に対して、判例は、有責配偶者の離婚請求権を否認する。「上告人（夫）さえ情婦との関係を解消し、よき夫として被上告人のもとに帰り来るならば、何時でも夫婦関係は円満に継続し得べき筈である。即ち上告人の意思如何にかかることであって、かくの如きは未だ以て前記法条にいう『婚姻を継続し難い重大な事由』に該当するものということはできない。……結局上告人が勝手に情婦を持ち、そのため最早被上告人とは同棲できないから、これを追い出すということに帰着するのであって、もしかかる請求が是認されるならば、被上告人は全く俗にいう踏んだり蹴たりである。法はかくの如き不徳義勝手気儘を許すものではない」(最判昭和二七年二月一九日民集六巻一一〇頁。同旨、同昭和二九年一一月五日民集八巻二〇二三頁、同昭和二九年一二月一四日民集八巻二一四三頁。なお離縁請求について同旨、最判昭和三九年八月四日時報三八五号五三頁)。学説の多くはこれに賛意を示すが、「少なくも当分は承認せざるをえない妥協」として賛成するようなものもあり、これに拮抗する有力な反対も出ている(中川淳・民商法雑誌三九巻四号・五号・六号、大川正人・阪大法学五号七六頁、田村精一・法学雑誌(大阪市立大学)四巻三号・四号、加藤正男・同志社法学三三号、岩垂肇・家族法大系Ⅲ一五〇頁、高梨・日本婚姻法論二四六頁など)。

そこで、まず民法七七〇条の解釈論を考えていってみよう。同条の規定はつぎのようである。「夫婦の一方は、左の場合に限り、離婚の訴を提起することができる。一　配偶者に不貞な行為があったとき。二　配偶者から悪意で遺棄されたとき。三　配偶者の生死が三年以上明かでないとき。四　配偶者が強度の精神病にかかり、回復の見込がないとき。五　その他婚姻を継続し難い重大な事由があるとき」(一項)。この、一号から四号までの規定は、「夫婦の一方は」他の配偶者が不貞や遺棄を行なった場合、もしくは他の配偶者に生死不明や精神病があった場合「に限り、離婚の訴を提起することができる」と読むほかない。夫婦の一方が、その配偶者にある原因にもとづいて、離婚訴訟を起こせるというのである。ところが五号の規定には「配偶者に」という文字がない。にもかかわらず、一ないし四号と同じように、「配偶者にその他婚姻を継続し難い重大な事由があるとき」と読もうとすれば、それも不可能というわけではないが、少なくも普通の読みかたとは考えられない。一号から四号は婚姻破綻の原因をいっているものだが、五号は婚姻破綻それじたいを挙げているので、「配偶者に」というようないいかたをしなかったのだと考えるのが、すなおな読みかたというべきものであろう。ここでは、破綻の原因は問題とされず、破綻の事実だけが問題とされているのである。現に、性格の重大な不一致などが婚姻を継続しがたい重大な事由に該当することは争いないところだが、それは婚姻当事者の一人について考えられることではなく、つねに双方についてこれありとしなければならない。有責原因についてだけ別の読みかたをすべき理由は、五号の規定の解釈からは出てこないのである。しかも、一般に認められているところによれば、離婚原因の本体は五号原因にあるので、一ないし四号原因は、婚姻の継続を困難にする重大事由を生じがちな典型的な原因、それを有責・無責の両場合について例示したに過ぎない。そして、このことは、

七七〇条（離婚原因規定）

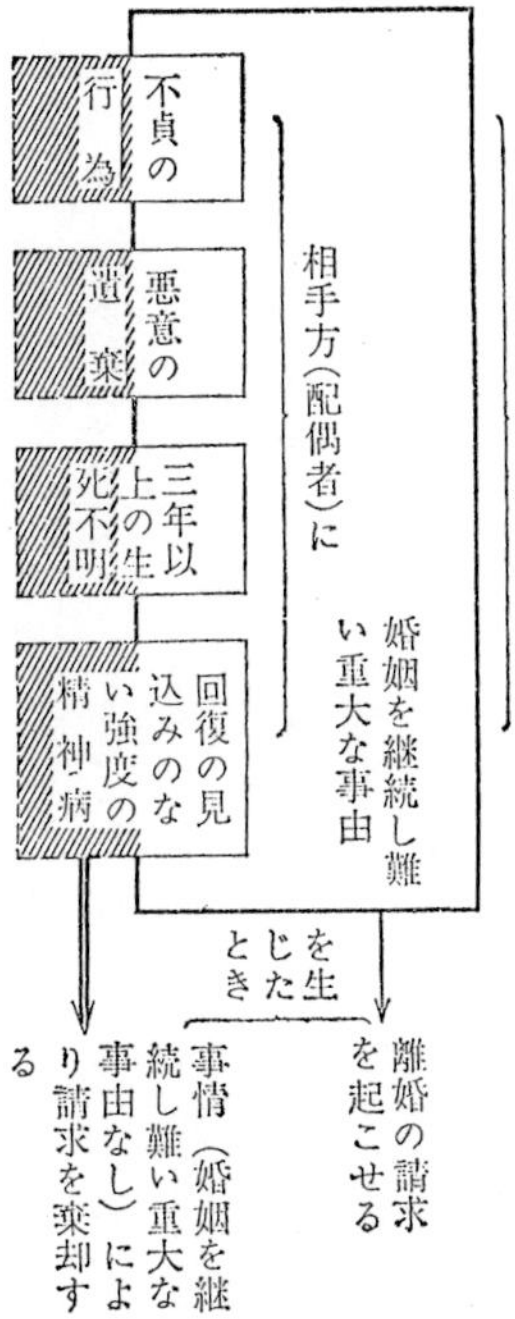

夫婦の一方は
相手方（配偶者）に
不貞の行為
悪意の遺棄
三年以上の生死不明
回復の見込みのない強度の精神病
婚姻を継続し難い重大な事由
を生じたとき
離婚の請求を起こせる
事情（婚姻を継続し難い重大な事由なし）により請求を棄却する

五号原因だけが絶対的離婚原因とされ、一ないし四号原因はそう認められていない、すなわち事情によっては離婚の請求を棄却されることもありうる(七七〇条二項)、という法構成をとっている点からも自明である。そうとすれば、一ないし四号原因の読みかたは五号原因の読みかたの規準とはならない。「夫婦の一方は」どちらに原因があろうとも「婚姻を継続し難い重大な事由があるとき」「に限り、離婚の訴を提起することができる」と読むべきことになる。

そこで、有責者には離婚請求を認めないという見解をとろうとするなら、それは七七〇条の解釈を超えた別種の理論によらなければならないわけで、それが判例のいう「法は……不徳義勝手気儘を許すものではない」という表現につながってくる。しかし、破綻した婚姻を破綻したと認めることが、どうして不徳義であり、わがまま勝手であるのだろうか。そうした破綻にいたる原因は、両当事者が無責のもの、一方が有責のもの、双方が有責で度合に異同があるもの——といろいろあるであろうが、その有責な者や有責の度合の高い者が責任を負わないなら、それはたしかに不徳義であり、わがまま勝手というべきである。しかし、破綻原因における有責者は、損害賠償責任を負うのであって、これを免れるわがまま勝手などどこにも許されていはしない。問題は原因にあるのではなくて、破綻という結果にあるのである。原因の有責性はそれはそれとして責問すべきであるが、そのゆえに生じた結果を黙殺することはだれにもできない。それは、殺人による死亡を否定することができないのと同じことである。判例の議論は、結果と原因とを混同して進められている。

有責者の婚姻破綻主張と道徳性

有責者が婚姻を破綻させたのでも破綻は破綻であり、婚姻を継続しがたい重大な事由になることは疑いない。このことは、無責者の側から事態をみた場合にあきらかである。たとい無責者が生活の便宜のために婚姻の継続を欲しているとしても、単にそれだけのことでは客観的な破綻を食い止めることはできない。もちろん、離婚請求がなければ婚姻は続くが、これを解消させる原因である破綻はすでに存在している。ところで、婚姻の破綻は婚姻の両当事者に共通のことである。その一方について破綻し、他方について破綻していないなどということはありうべくもない。無責者の側からみて破綻があるということは、同時に有責者の側からみてもこれがあるということである。有責者からみると、破綻がなく、婚姻を継続しがたい重大な事由もない、とする判例は不当である。したがって、判例が不徳義・わがまま勝手論を主張するのは、破綻を認めることがそうだというのでなく、破綻を主張することがそうだという趣旨にみるほかない。しかし、有責者が離婚を主張することがどうして不道徳になるのであろうか。近代の婚姻は合意を重んじ、そこに生まれる愛情を尊重する。その合意が悔やまれ、愛情が萎み、婚姻らしい生活がなくなり、その回復が期待されなくなったとき、これを解消させることこそ倫理的なのであって、その持続を強制させるほど背倫的なことはない。婚姻の名において、サディズムや売淫を許すことはできないのである。もし、請求者の有責性のゆえに離婚を認めず、その本質とは離れた婚姻を続けさせようとするならば、それは懲罰としての婚姻を認めることに帰する。そしてそのことは、有責者に請求を認めるということより以上に、はるかに不徳義・不道徳なのである。有責者が、これを争う無責者に離婚を求めるという、一見不徳義にみえる行為は、この不徳義を清算し、より大きな徳義を実現する意味で、本質的に徳義に合するものと考えられるのであって、不徳義性は婚姻破綻の有責性にあるだけで——そしてそれは損害賠償問題として結着をつけられる——、破綻の主張や離婚の請求には存在しないのである。その主張は、つねにきれいな手で、信義に即して行なわれているものと考えてよい。

婚姻は扶養や懲罰の手段でありうるか

ところで、有責者の離婚請求を拒むある立場は、そうして婚姻を持続させることについて利益があるという。離婚による損害賠償や財産分与は通常きわめて少額なのであるから、むしろ婚姻を継続させて配偶者の座を守らせ、ひいてはその間の子の地位を確保させ、扶養と、より大きい期待をかけうる相続とを将来に死守させることが必要だ、と説くのである。この考えは、理論的ではないがたしかに実際的ではある。ただし、その実際的ということが、離婚をめぐる給付の過少であることを是認して、そのため婚姻の本質を扶養と相続とに減縮させるに帰する点で、問題である。婚姻は、その限界的場合において、夫婦としての共同生活やそれへの復帰がまったく期待されない状態で、強制された扶養や生ずるかもしれない相続という財産的期待に支持されて、ただ戸籍の上にだけ存在すればよいものであるのだろうか。それは、便宜的な、生活のための婚姻を認めることにほかならない。しかも、生活のための婚姻なら、その実効はある程度経済力をもった相手にしかはたらかない。そういう相手に対しては、それこそ離婚給付の充実でゆくべきが当然なのである。この同じことを、扶養や相続への期待によってよりよく実現できるかははなはだ疑わしい。憎しみのうちに行なわれる扶養が希望少ないものであり、これを避けようと努力された相続が期待はずれに終わろうことは、むしろ当然である。これによって無責者やその子の幸福を図ることも、瞋恚に燃え、報復に心を慰め、または屈伏と忍従に明け暮れ、あるいは名義上の、争う父母をもつことが、なお一種の幸福でありうる、という限度でできるだけであり、それは近代的家庭の幸福とは全然うらはらのものといわねばならない。判例で問題となった事案は、多くは、夫が情婦をもち、子まででき、長い期間の別居が伴っているのだが、この有責性に依存して、永遠に離婚の途をとざすことが、どうして妻や子の真の幸福でありえようか。

有責認定における非近代性

有責者の離婚請求を否認する立場で、さらに一つ気がかりになるのは、その有責性の認定である。有責性とは、離婚原因をなす当該事実についてだけいわれるのでなく、離婚請求の口頭弁論終結時までのすべての生活事実についていわれそうな気がするからである。そうとすれば、無責の、あるいは相手方有責の離婚原因が存在した後、たとえば性格の不一致あるいは相手方の不行跡などによる事実上の離婚が行なわれた後の内縁なども、やはり有責認定の資料とされ、離婚の請求を拒む理由となりえるのだろうか。婚姻継続不能な事由は現在になければならないし、その認定には現在に影響を及ぼすすべてが考えらるべきである。そうすると、事実上の再婚は、婚姻への復帰不能を決定づけるものとして取り上げられる可能性に恵まれることになり、過去のある時点に離婚請求に出なかった怠りは、生涯消しえないことにもなろう。もちろん、それは相互の有責性の比較によって適切に判断されるから心配ないという弁解も出るであろうが、現に夫が六年も外国に抑留されている状況下で事実上の婚姻をした妻に有責を認める判決も出ているような始末で（東京地判昭和二九年八月一三日判例時報三三号）、事実は破綻婚主義を有責主義に変容する力を振るいつつある。こういういいかたを重ねていけば、婚姻破綻の原因を詮索し、その有責性を高調することで、破綻婚主義を有名無実化することはなんでもない。性格不一致にもとづく典型的な婚姻破綻も、そのために起こる生活の一々を観察してそこに有責性をみいだすことはきわめて容易だからである。隴をえた有責者離婚請求拒否説が、実質的有責主義の蜀を望まないとは限らない。判例の立場を認めることは、一見まことにもっともにみえるが、そのゆえにこそかえって破綻婚主義の理想にとって致命的な危険を孕んでいるということができるであろう。

離婚における破綻主義の徹底

「婚姻を継続し難い重大な事由」を離婚原因として認めることは、ある意味で近代離婚法の理想といってよい。有責主義の制約もなく、このことを宣言した七七〇条一項五号は、やはり高い評価に価するのである。一方において協議離婚の安易な道があって、そのことが側面の支持をしていたことも十分考えられるが、それはそれとして五号原因を認めた意義は大きい。それを、解釈を離れ、格別の実益も認められないのに、離婚による損害賠償の身替りとしての非近代的婚姻を継続させる余地を創成する。大きな後退というべきであろう。他面、こうした主張を理由あらしめぬよう、破綻の認定を慎重にしてゆくことは、破綻主義にとってとくに重大である。

（高梨公之）

第二〇問　嫡出否認の訴えは現在のまま維持されてよいか

妻が婚姻中に懐胎した子は、夫の子であると推定されるが（七七二条）、このように嫡出を推定される子について、その嫡出を否認する訴えが嫡出否認の訴え（人事訴訟手続法では、子の否認の訴えと呼ばれる。人事訴訟手続法二七条―二九条参照）である。嫡出の否認は訴えによってだけ主張することができ（七七五条）、したがって、否認の訴えが起こされて請求認容の判決が確定するまでは、嫡出の推定は覆されない。

嫡出否認の訴えは人事訴訟である。離婚の訴えや離縁の訴えなどの、他の人事訴訟と同じく、人事訴訟手続法にもとづき、職権探知主義を採用した特別の訴訟手続によって審判される。請求認容の判決の確定によって、遡及的に嫡出でないものとされるのであって、口頭弁論終結時において嫡出でないことが確定されるのではない。したがって、否認の訴えは形成の訴えであり（兼子「親子関係の確認」民事法研究一巻三五三頁、山木戸・人事訴訟手続法（法律学全集38）五八頁。もっとも、確認の訴えだとする説も存在するが、判決によって嫡出の推定を受ける地位が失わしめられること、したがって現在の権利関係を変更するものであることから、形成の訴えとみるのが通説である）、口頭弁論終結時における権利関係を確定する効力をもつ確認訴訟と異なっている（この点で、否認の訴えと類似の性質をもちながら、嫡出を否認する場合以外に提起することが認められる親子関係不存在確認の訴えとは、訴えの類型として異なっていることに注意しなければならない）。また、否認の訴えには、他の人事訴訟と同様に調停前置主義が採られており（家事審判法一八条）、当事者の自主的解決に親しまない事件であるにもかかわらず（離婚や離縁の訴えと比較せよ）、当事者間の合意があれば、これにもとづいて合意に相当する審判ができることになっている（同二三条）。

嫡出否認の訴えの特質

以上は、嫡出否認の訴えを構造的にみた場合の諸特徴であるが、内容の点における特徴はどこにあるのか。特筆すべきことがらは、この訴えの原告が原則として夫だけに限られるということである（民法七七四条。もっとも、夫が子の出生前または否認の訴えを提起しないで民法七七七条の期間内に死亡したときは、その子のために相続権を害されるべき者その他夫の三親等内の血族が訴えを起こすことができる（人事訴訟手続法二九条）。さらに、夫が禁治産者であれば後見監督人が、また後見人が妻以外の者であれば後見人がこの訴えを提起することができるとされている（同二八条））。この結果、被告となるべき者は子または親権を行なう母であるということになる（民法七七五条前段。この規定は解釈上明白でないが、いちおう子を被告とすべきで、子が意思能力を有しないときは親権を行なう母を相手方とすることができるという趣旨だと解される。山木戸・前掲六〇頁）。人事訴訟においては、一般に原告または被告となりうる者が定められているのが普通であるけれども、夫のみが提起しうる訴えというのは、人事訴訟の中でもやはり特異なものといわねばならないであろう。

もう一つの重要な特徴は、この訴えは、夫が子の出生を知った時から一年以内に提起しなければならず（民法七七七条。なお、夫が禁治産者であったときは、禁治産の取消しがあった後、夫が子の出生を知った時から一年以内である（同七七八条）。また、夫以外の者が原告となる場合には、夫の死亡の日から一年以内に提起しなければならない（人事訴訟手続法二九条二項））、さらに、夫が子の出生後にその子の嫡出であることを承認したときは否認権を喪失する、ということである（民法七七六条）。嫡出性の存否という重大な身分関係に関する訴えにつき、このような短い出訴期間の定めは、他に例が少ないのではないだろうか。

以上述べたような二点に特徴づけられるように、嫡出否認の訴えは、これを提起するかどうかが徹底的に夫の意思に委ねられていること、訴えの要件が極めて制限的であることに注意すべきであろう。否認の訴えについて問題点とされている事項は、ほとんどすべて、これらの二点をめぐって論ぜられているのである。

否認の訴えに関する当事者、特に原告には夫のみがなりうるという原則に対しては、多くの学説が立法論としての問題性を指摘する（我妻・親族法（法律学全集23）二一九頁、山木戸・前掲六〇頁など）。妻が否認の訴えの原告たりえないとする立法上の根拠は、道義上、子の母がその嫡出性を否認することによって自らの不倫を主張することは許されないからだ、と説明されている（これに対して、訴えに前置される調停において、妻が否認の申立をする場合はどうか。否認の訴えの建前からいけば、これも許されないことになろう。しかし、調停においては訴訟ほど厳格な手続を要しないから、夫・妻・子の三者がそろって合意した場合の審判には効力を認めて差支えないとする説もある。阿川清道「親子関係の存否に関する戸籍訂正について」訴訟と裁判（岩松裁判官還暦記念論文集）七三四頁）。思うに、子の嫡出性の否定が父だけに認められているという否認の訴えの特質は、身分関係の確定の必要性やそのための手段の合理性への配慮からよりも、もっと深い伝統的なものに根ざしているのではないだろうか。わが国における否認の訴えに関する制度はヨーロッパの立法にもとづくものであることから、父権の優位は、否認の制限的であることとともに、西欧のカトリシズムの伝統によるものであるとも説明されている（平賀健太「人事訴訟」民事訴訟法講座五巻一三三六頁）。確かに、否認および強制認知の手続は、伝統的な色彩を濃くもっており、それが戦前のわが国における家族制度の下で自然に受け入れられたことは当然であったろうし、それゆえに、近代的身分関係の確定が主眼とされる今日において、こうした伝統とは離れた、新しい法的要請から、否認の訴えが問題とされざるをえないのである。嫡出性の否定の制度は、家庭の平和と親子の血縁の真実性との調和を目的とすべきであるのに、民法は家庭の平和に重点を置き過ぎているようだとする見方（我妻・親族法二三〇頁）も、同じ根拠に立つ。

夫婦の同棲がない場合にも嫡出の推定は及ぶか

このように、否認の訴えの要件に存する厳格さは、近代的身分制度と相容れないところが多いわけであり、これをそのまま本旨通りに適用すると、不都合な場合が多い。最も多く問題となるのは、嫡出性を推定される懐胎期間に生まれた子であっても、夫が外国にいたり在監中であったりしてその期間正常な夫婦生活を営みえなかった場合に、否認の訴えによらなければならないか、ということである。婚姻成立の日から二〇〇日後、婚姻の解消もしくは取消しの日から三〇〇日以内という期間は、否認の訴えの本来の意義から考えれば、戸籍の記載通り厳密に決めなければならないことになる。しかし、このような場合には、夫の子で無いことは明らかだし、それにもかかわらず否認の訴えによらなければならないとすると、出訴期間の徒過など否認の訴えの定める要件を外れた場合、永久に虚偽の父子関係が確定されてしまうことになる。このような不合理性を犠牲にしても、なお嫡出性の推定を維持して法律上擬制された真実性のない身分関係を固めておくことの必要性があるかどうか。学説において、このような場合には七七二条の嫡出推定は適用さるべきでないとする説が有力となってきており（我妻・前掲二三一頁、外岡茂十郎「嫡出子の否認」民法演習Ⅴ七三頁）、また下級審判例がほとんどこの立場を支持していることからみて（最近のものとして、東京地判昭和三八年一月二八日下級民集一四巻一二〇頁、前橋家桐生支判昭和三八年七月一日家裁月報一五巻一〇号一四二頁、仙台地大河原支判昭和三八年八月二九日下級民集一四巻一六七二頁など）、否認の訴えのもつ形式性の重視よりも、実質的な父子関係を確定しようとする努力に重点が置かれていることがわかるのである。

このような解釈の発展をみてもわかるように、否認の訴えの前提となっている父子関係に対する考えかたが、今日の身分関係とは相容れなくなり、そのギャップを解釈によって救済しようという方向が出てきている。しかし、解釈による救済では、現在の否認制度の枠内を出ることはできず、多くの問題が未解決のまま残されることになる。否認の訴えの当事者をどうするか、否認の訴え以外に父子関係を否定する方法である親子関係不存在確認の訴えとの関係をどうするか、などである。

当事者適格は誰に認められるべきか

否認の訴えの形式性、厳格さは、解釈によってもある程度救済されうるが、当事者適格の問題は、立法論として扱わなければ解決されない。現在、夫以外の原告適格を有するとされる者が、否認の訴えにおいて原告たるに相応しくないことは、まず指摘されるところであろう。つぎに、夫以外の者で誰に原告適格を認めることが妥当かというと、妻、子、真実の父が、子の将来を考慮するために相互にその立場を主張し合うことが理想的ではないだろうか（我妻・前掲二二〇頁、平賀・前掲一三〇二頁・一三四〇頁）。

嫡出推定の覆滅だけを目的とすればよいか

ここまで考えてくると、否認の訴えは、単に推定される嫡出性を覆すためにだけ認められるのではなくて、別の角度からその目的や本質を考えなければならないのではないか、という疑問が生じてくる。従来の否認の訴えは、推定された嫡出性を覆すという範囲でのみ、いわば伝統の枠を出ないで把握され、論ぜられてきたわけである。夫の意思が起訴を決定し、かつ要件に厳しい制限が付せられているのも、こうした伝統を背景にしているからであり、したがって、個々の事項について立法上の問題を論ずることは、結局は否認の訴えのもつ伝統的背景から脱け出すことに他ならないといえよう。

一つの考えかたとして、嫡出の否認および認知は何れも父子関係の存否を確定することにあるのだから、認知の訴えは別としても、否認の訴えはこれを廃止して、親子関係不存在確定に代えるべきだ、とする説がある（平賀・前掲一三三八頁以下）。否認の訴えを起こしえない場合、すなわち嫡出の推定を受けない嫡出子に対して訴えを起こす場合には、親子関係不存在確認の訴えが認められており（大民連判昭和一五年一月二三日民集一九巻五四頁、大判昭和一五年九月二〇日民集一九巻一五九六頁など）、これらを否認の訴え、認知の訴えとともに包括して、一般的な概念を建てようとするわけである（親子関係不存在確認の訴えについても、否認の訴えと同様の効力を認めようとする説（山木戸・前掲六三頁）も、ある意味ではこれに通ずるものではないか）。論者はさらに、このような事件は訴えによらず、非訟事件として処理すべきであるとし、このようにして裁判所すなわち国家の後見的活動の具体的な実現が図れるとする。このような考えかたに対しては、訴訟と非訟事件との間には本質的には越えがたい一線を画さねばならないものであって、非公開の審判手続で処理することは近代司法の根本原則に反する、という反対がある（兼子「人事訴訟」

家事裁判（家族問題と家族法Ⅶ）一八八頁）。

この問題は、人事訴訟全体の問題であって、早急な解決を図りうる性質のものではないけれども、このような考えかたが現われてきていることからも察せられるように、否認の訴えは現在、単に個々の事項のその場限りの修正ではなく、より大きな観点からの検討が迫られているということができよう。

（染野義信）

第二一問　法定相続は被相続人の意思と関係なく行なわれるか

相続は、一定の身分関係に立つ者に対する死者の財産あるいは財産的地位の移転である。この移転を生ぜしめる窮極の根拠はなんであるか。財産法の領域なら、こういう財産変動を生ぜしめる圧倒的理由となるのは、いうまでもなく契約であり、その契約の根元をなす意思である。ところが身分法の領域は、財産法的・合理的意思のはたらかないことをもって特色とする分野であり、相続法は、そうした身分を基礎とする財産の移転を規制する法域である。そうとすると、相続の領域では、被相続人の意思はほとんど問題にならないものだろうか。かつては財産法の領域さえ身分によって壟断されていた時代があった。それが、メインの指摘したように、「身分から契約へ」の大勢に取って替わられ、そこに近代法をみるにいたったことは周知のとおりである。身分法においても考えられることだが、半ばは財産法領域に足を入れている相続法の分野では、少なくもこのような変化がやや顕著にみられ始めているとはいえないだろうか。そうして、そういう認識をもって意識的にみれば、解釈論を試みる根基礎態度の上にもなんらかの反映が生じないはずはない。これが、本問を考えようとする根本の動機である（この点については、高梨「相続と扶養——相続意思とそれを阻止するもの——」ジュリスト一四七号四六頁、同「相続と被相続人の意思」小池記念論集二〇三頁、同「相続における意思の作用」民商法雑誌三八巻六号一頁がある）。

血縁・親族による相続

相続は身分にもとづく遺産の移転であり、移転の原因は身分にある。こう考えればことは簡単である。しかし、あらゆる身分に相続が認められているわけではなく、その範囲は限定を免れない。問題はその限定の原理にある。そこですぐ考えられるのは血縁である。ところが、そういうためには現行法の認める配偶者相続権（八九〇条）が徹底的な障害である。血縁のない養子には血縁が擬制される（八〇九条）と説明しえたとしても、配偶者にこれをいうことは不可能だからである（七二五条二号）。第一、血縁のうちの一部しか相続人になれない（八八七条・八八九条）わけは、血縁論では説明できない。それでは、相続の根拠は親族だといったらどうか。それなら配偶者は内包されるが、ここでは、配偶者を強いて親族とする規定じたい非近代的な遅れた立法だと評されていることを反省しなければならないし、姻族をはじめ、相続を除外された親族の存することは、少しも説明されていない。

生活共同にもとづく相続

相続の根拠をもって生活共同関係における扶養の必要にあるとする説がある。この考えかたはきわめて実質的であるけれども、現行法を説明する場合の障害があまりに多い。祖父や曾祖父、兄弟姉妹、代襲相続による場合の孫やおい・めい以下はいずれも相続権をもつ者で

法定相続人の範囲

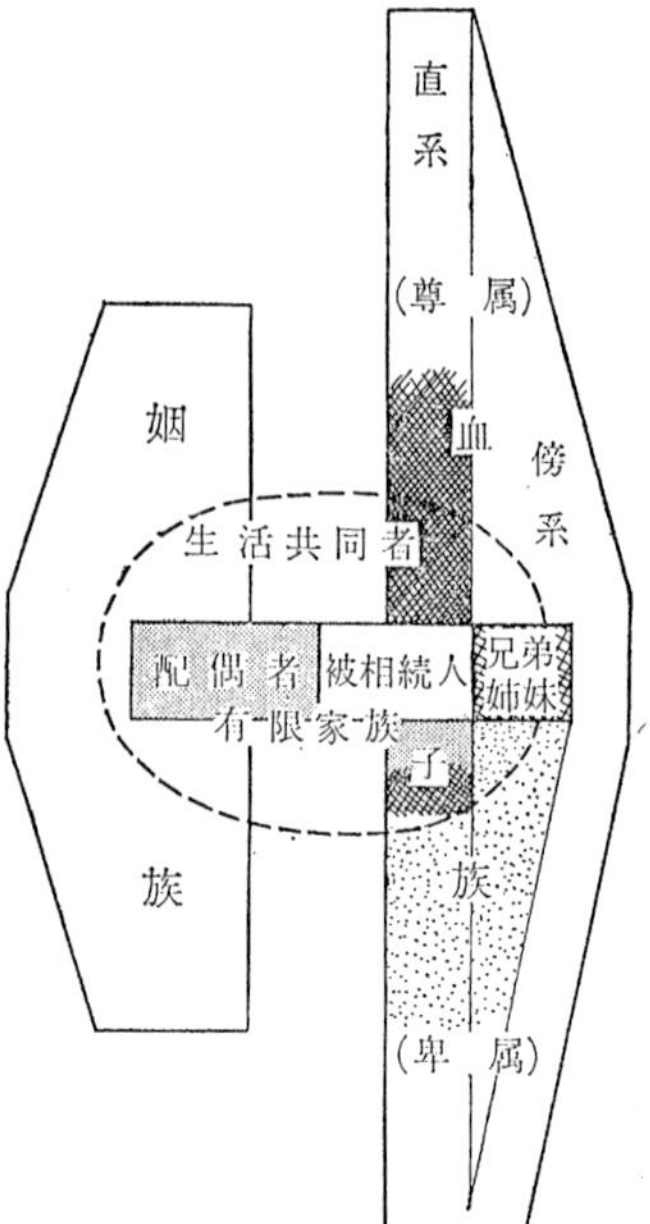

◇白地以外の部分が民法の規定する可能な相続人（ゴマシオの部分は代襲相続人）。
◇それは，血族・姻族とも，点線で示した生活共同者の範囲とも，有限家族（配偶者・子）のそれとも，すべて一致しない。

あるが（八八九条一項・八八七条二項三項・八八九条二項）、これらの者の大部分は、被相続人と生活共同関係に立たないのがつねである。扶養にしてみたところで、おい・めい以下は当然の扶養義務を負わせられる者ではない（八七七条二項）。これらのすべてを含めて生活共同関係などということばを使うなら、それは大家族的家を想定することになり、民法の精神とはおよそ逆行する。さればといって、これを近代的有限家族とみるならば、現行法の認める相続人の相当部分の相続は説明不能になってしまう。また、別居独立した子の相続権なども、説明がむずかしくなる。要するに、あるべき相続法の根拠は説明できても、現にある相続法規の理由づけはできない。

被相続人の推定される意思にもとづく相続

そこで、遺産の移転は、むしろ財産法の場合と同じに、意思にもとづいて生ずるのだと考えたらどうだろうか。いうまでもないことだが、近代法は私所有権絶対の原則の上に構成される。財産の所有者は、かれの意思にしたがってかれの財産を生前に処分しえたように、死後にも処分できるはずである。遺言の自由がその法的手段を提出する——もちろん遺留分の制約はあるが(一〇二八条)、それは例外とみておく。ところが、被相続人が無遺言で死亡した場合は、かれの意思は明確でない。そこで、相続法はこの不明の意思を一般的・客観的・法規的に推定して、これにしたがって遺産を処分する。これが相続であり、それは被相続人の推定される意思を窮極の原因とする——と解するのである。血縁や親族で相続できないのはこの推定をなしえない場合だと説けばよく、相続人が有限家族以外に及ぶのは、社会的な生活保障の不備が現在のところこれを切りえないのだと説明すればよい。そんな説明をしてみたところで、しょせんは一つの擬制に過ぎず、第一、相続人じたいをきめることはできないし、また遺産の処分にしても遺留分の制約を免れない——という反論はかならずあろう。しかし、この擬制は真意に近いと考えられるし、また、兄弟姉妹以下については遺留分の制約はない。遺留分じたいの制約も減殺権の行使によって発生するので、これに反する処分が当然無効とされるわけではない。その上、こう考えることによって、解釈論にいくらかでも近代的色彩を付加できるなら、相続の根拠を意思といってわるい理由はない。そして、実は、そうみることが従来の通説であったともいわれているのである（穂積・相続法第一分冊二七頁）。では、どんな解釈論にこの見解が影響していくというのであるか。

そこで、まず遺言の要式性について考えてみよう。相続の根拠が被相続人の意思にあるとするなら、その端的な表われである遺言はむしろ相続の基本型態といってもよい。少なくとも、これによって相続分を定め（九〇二条）、遺産分割の方法を指定しうる（九〇八条）だけではなく、相続人と同一の権利・義務をもつ包括受遺者さえつくり出すことができる。この最後の点では、遺贈は相続に優先し、これを掩うともいいうるのである。事情が右のようである以上、被相続人の遺贈意思はとくに尊重に価する。被相続人の意思が明瞭なのに、わざわざ推定された意思をもち出し、法定相続によらせることはないからである。したがって、遺言の方式性も、その欠如が被相続人の意思の不明確を来たさないかぎり、できるだけ緩和して考えていってよいであろう。自筆要素についても、タイプライターや点字機をみずから用いた場合は有効とみようとし、あるいはテープレコーダーの録音でも本人のものであることが正確に示されていれば有効と考える立場もある。このことは、意思を客観化し永久化する手段として文字・書面以外の技術が成長し、元来その意味で限定されていた文字・書面の内容を拡大していくものと解してもよいが、他面、遺贈における意思尊重を媒介して遺言の要式性を緩和しようとする傾向に支持されているともいえるであろう。他人が運筆を手伝った場合、封筒にだけ日付がある場合、署名に氏を欠き、あるいは単に親というように書かれている場合、拇印が押されている場合などはもちろん、一般に否定されている花押なども、遺言を無効にすると考うべきではあるまい。

欠格の宥恕と被相続人の意思尊重

つぎに相続欠格の宥恕を考えよう。相続欠格（八九一条）をもって血縁あるいは生活共同体秩序の破壊とみれば、被相続人の宥恕によってこれを復原することは不可能といわざるをえず、かたがた廃除にみられるような取消規定（八九四条）の不存在も力して、一般に欠格の宥恕は認められていない。宥恕によって生活共同秩序が復活すると説く立場もあるが、それはやや無理であろう。しかし、相続の根拠を被相続人の意思に求める立場からすれば、欠格は財産譲与意思の不存在を推定させる原由であるに過ぎない。ところが、宥恕はその意思の存在をふたたび明確にすることによって、欠格の機能を崩し、これを失効させると考えてよい。それは、欠格者に生前贈与できるのと同じことである。したがって、欠格者に遺贈が行なわれているようなときは、それがあらたになされたことにより、または撤回されずに維持された事実により、それぞれ宥恕を含んで遺贈は有効に成立すると解しうるのであって、この解釈は一般からも歓迎されるであろう。

人工授精子の嫡出推定と父の意思

さらに、同様の考えかたを進めうるものとして、いわゆる人工授精子の問題に触れてみよう。一般に説かれるところによれば、婚姻成立から二〇〇日後に生まれた子でも、夫が不能の場合には嫡出推定がはたらかず（七二三条）、人工授精子はあたかもこの場合にあたるので、かれは夫の子とは推定されないという。その結果、人工授精子の父に対する関係は後日いっさい覆されてしまうし、ひいては試験管の父に認知を求めるなどという、拾収すべからざる問題さえも生じてくる。しかし、生殖不能の夫の子に嫡出推定をはずしたのは、それはあきらかに姦生子で夫の喜び迎える子ではありえないから、否認の困難な嫡出推定を認むべきでないとしただけである。予想された事態とはまったく違い、姦生子とはいえず、夫の同意と喜びのうちに生まれた婚姻中の子について、明文を制限してまで推定を排除すべき理由はないように思われる。ことに、嫡出推定がないとする結果、父の死亡後に相続関係を覆す途の残る点が最大の問題であって、そこでは、被相続人の意思を尊重しようという立場から嫡出推定論に間接の援護を与えうるであろう。ことは相続だけに関するものではないが、それがおそらく一番問題多いものとも考えられるのであるから、これに対する立法措置が施されるまでは、しばらくこの解釈論を支持する理由があるであろう。

相続放棄契約の肯認と被相続人の意思

さらに、相続放棄契約について若干の検討を加えてみよう。相続開始前に、相続人との契約によってかれの相続権放棄を契約しうるとすれば、それも被相続人の意思尊重の一つの表われとみてよいからである。この点について、一般はもちろん否定的である。相続権は、事前に意思によって排除しえないものと考えるのである。しかし、被相続人は、元来、生前贈与・遺贈・相続分の指定（九〇八条）などによって、かれの意思を——少なくも遺留分を害しない程度においては——適法に達成しえたはずである。被相続人の意思を抑えうるのは遺留分制あるのみなのだから、これに反しない程度の放棄契約を無効とすべき実質的根拠はない。明確にされた被相続人の意思はできるだけこれを尊重していってよいはずである。したがって、遺留分権のない兄弟姉妹との放棄契約、家庭裁判所で遺留分放棄の許可（一〇四三条）があった者との契約、あるいは遺留分相当額の代償が与えられた者との契約（谷口・親子法の研究一一四頁）などは、これを有効としてさしつかえないであろう。

被相続人の意思重視から生ずるその他若干の見解

なお、相続人の範囲が被相続人の意思を推定したものとしてもっともよく説明できることは前述した。被相続人の意思を客観的にとらえれば、その遺産分配意思は、いうまでもなく近代的有限家族に集中されているはずであるが、法定相続人の規制はこの区別を詳細にせず、かなりのずれをもっている。ことに孫の相続を代襲相続化した最近の改正は（八八七条一・二項、昭和三七年法律四〇号）、子が全員死亡している場合にも孫の代襲相続を認めようとするわけであろうから、ことの権衡上兄弟姉妹の全員死亡の場合にもおい・めいの代襲相続を容認することに帰し（八八九条）、孫を本位相続人とした旧法なら否認する可能性のあったおい・めいの代襲相続を大幅に拡げた気味さえある。この相続法の非近代化は、意思を尊重する立場からしても厳戒を要するところである。なお、相続分の規制も同じ被相続人の意思推定に出ると解してよい。いっさいの事情を考慮して行なわれる遺産の分割なども（九〇六条）、この趣旨を離れてはならないのであろう。とくに被相続人の身廻り品や日用の財貨については、配偶者に分割したい被相続人の意思を考えることが適切と思われる。また、昭和三七年法が新設した、相続人不存在の場合の特別縁故者に対する財産分与規定なども、結局被相続人の意思推定として理解すべきであり、それゆえ「被相続人と特別の縁故があった者」（九五八条の三）の解釈は、もしかれが遺言したとしたらその者に遺贈したであろうことを中心にして構成されなければならない。遺産分与の審判もまたこの面に注目してなさるべきものであろう。この点では、第二次的にではあるが、相続人の場合より以上に、明白に被相続人の意思を打ち出すことができるかと思われる。

（高　梨　公　之）

第二二問　分割相続の実効性はどう批判さるべきか

分割相続をはばむもの

民法は、旧法の家督相続を廃して遺産相続だけを残し、当然の筋途として分割相続主義を採用した（八八七条―八九〇条・九〇〇条以下）。個人の尊重と男女の平等を相続の上に展開する、きわめて重要な措置といってよい。ところが、相続の実際においては、この近代化措置はみるべき実効を挙げていない。分割相続は、たといまったく無視されてしまうのではないにしても、到底民法が期待するようには行なわれていないといえそうなのである。では、そういう事態を産む原因は、民法のどこにひそみ、社会生活のなかに胚胎しているのか。この原因を検討してつぎの対策を考えることは、民法を単に書かれた法規に終わらせないため、もっとも必要なことといわねばならない。

分割相続回避の民法的諸手段

民法の分割相続を崩す可能性は、形式的にいえば民法それじたいのうちに内包されている。民法は相続をもって被相続人の個人財産の継承と考えるから、相続人にこれを強制する理由をもたない。旧法が認めた家長権の移転に伴う家産の相続（家督相続）とは話が違うのである。したがって、相続人は、かれの自由な意思にしたがい相続を放棄しえ（九三八条）、いったん生じた相続効果を消滅させ、相続人の地位から離脱することができる（九一五条・九三八条以下）。この放棄を利用すれば、分割相続を回避するに手まひまはいらない。そして、相続放棄の数は、つねに全家事審判数の半ば近い多数を示し（家事審判法九条一項甲類二九号）、しかもその理由は「長男（長女）だけに家をつがせたい」・「農地の細分化を防ぐ」がほぼ四割に近い状態になっている（司法統計年鑑3家事編の各年版参照）。このことは、放棄の自由意思が、分割相続回避の目的に強く影響され、そのための手段として利用されている現実を示している。のみならず、こういういわば法的相続放棄に加えて、事実上の放棄も利用されている。民法によれば、三ヵ月の熟慮期間を徒過すると各相続人は単純承認した取扱いとなり（九二一条二号）、分割相続は型どおりに実現したことになるが、その相続人が遺産の分割を主張せず、ある者の相続財産支配状態を黙認しておれば、かれの相続回復請求権は五年で消滅し（八八四条）、支配の現状が正当化されてしまう。公簿の変更を要しない動産類の相続では、事実上の放棄で相続人を排除することも十分可能なのである。さらに、遺産の分配によっても、同様の効果を挙げることができる。分割相続がなされたあとでも、遺産の分割は相続人の協議で行なうるのだから（九〇七条一項）、これによって実質的に分割相続を排除しうるのである。もっとも、このような協議によって相続分をみだすことが可能かどうかは問題となるところだが、有効とする説も多く（高梨・民商法雑誌三八巻六号一八頁、有泉・相続法四〇頁など）、かりにこれを無効としても分割の結果じたいは相続分に応じた分割プラス贈与として維持さるべきであろうから(有泉＝加藤編・相続上二一一頁、甲斐・家族法大系VI相続(1)二六三頁)、分割相続はその名をえて実を失ってしまうことに変わりはない。さらにいえば、法的には分割相続をしておきながら、贈与を利用してその実を失わせる方法も、やはり事実上分割相続回避の手段でありうるのである。

民法的分割相続回避の実質的諸理由

しかし、分割相続を回避する手段があるといったところで、それはいずれも相続人各自の意思――放棄・放置・分割・贈与の意思――を媒介してはじめて可能なのであって、法定相続分の取得を主張する相続人を強制的に相続からはずす途はもちろんない。そうとすれば、問題はむしろ、みずから相続を諦め、少なくともこれを積極的に主張しないように、相続人自身の意思を規定するものはなんであるか――にある。これを前近代的拘束といってしまえばそれまでだが、この公式的表現の内容は厳密に検討されなければならない。

遺産における個人性の欠除

いったい、民法の相続は、死亡者の遺産を対象として、それが相続人に移転してゆくこととして構成されているはずである。ところが、日本社会の実際においては、相続の問題になる遺産の大部分がこういう明確な個人財産の実質をもっていない。家族的協力によって辛うじて維持・形成されたほどの小さな財産、そうしてそれゆえにそこに扶養の基礎を求めなければならぬ必要性に彩られた生活源的財産、そういうものが遺産の大半であって、死亡者の、個人的な、自由な遺産が少ないという現実は、どうしてもこれを否定しようがない。たとえ

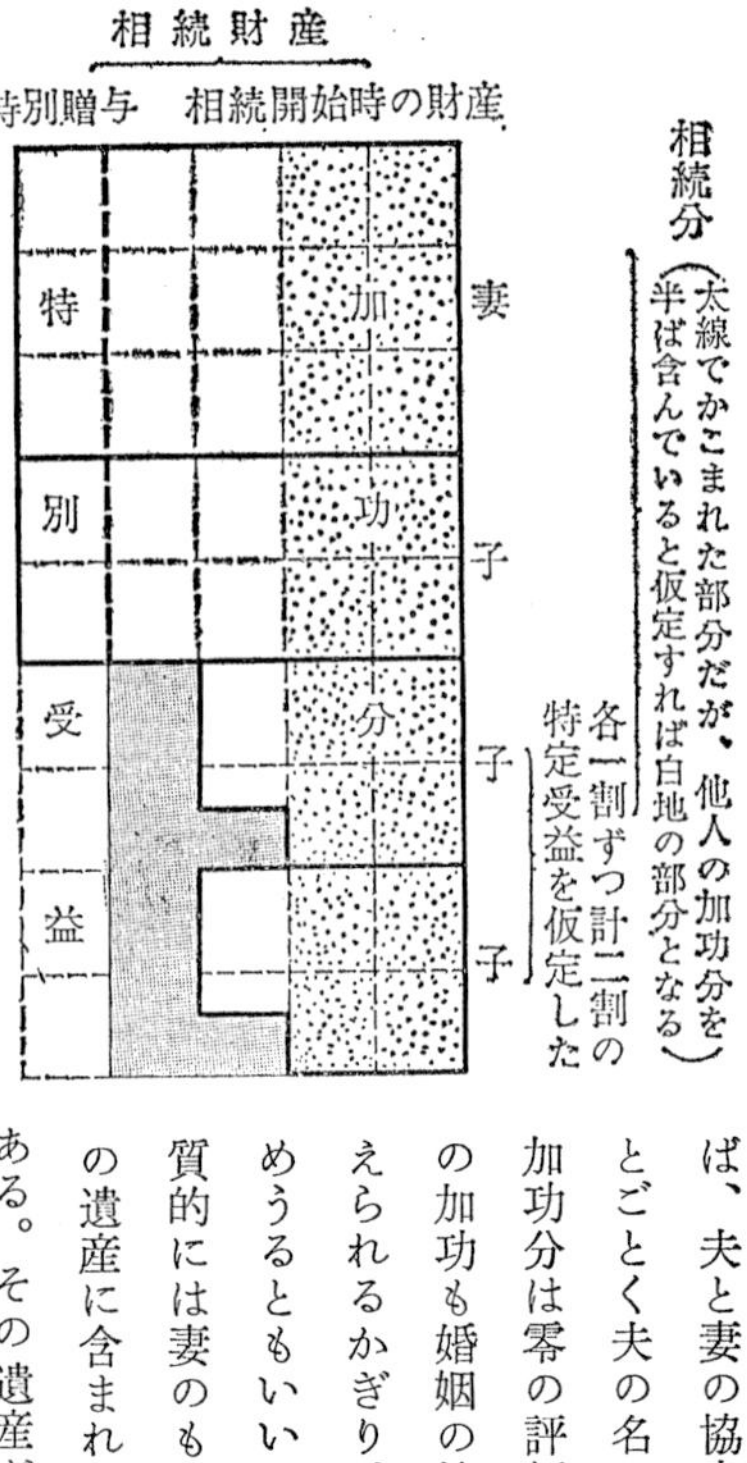

——遺産に内在する加功分

相続財産
特別贈与
相続開始時の財産
相続分（太線でかこまれた部分だが、他人の加功分を半ば含んでいると仮定すれば白地の部分となる）
妻
子
子
子
加功分
特別受益
各一割ずつ計二割の特定受益を仮定した

ば、夫と妻の協力でできた財産はことごとく夫の名になっている。妻の加功分は零の評価しか受けない。その加功も婚姻の協力義務の履行と考えられるかぎり、夫に利得償還を求めうるともいいにくい。つまり、実質的には妻のものであるべき分が夫の遺産に含まれてしまっているのである。その遺産が夫と生活していたときの原状で続くかぎり、妻はかの女の潜在的加功分に無関心でいられるが、これが分配され、とくにかの女の扶養源から切り離される観を呈するときは、妻の加功分は、妻自身にも他の相続人に対しても重大な関心事となり、無言の圧力となる。子と並んで三分の一の相続分を認めたことが、加功分を考慮しているのだともいえそうだが、加功分のない夫にも同じ相続分が認められていることを考えれば、それは無理である。婚姻における法定財産制（七六二条）がわるいのだということはできようが、現実の問題としてその結果が相続人の意思に微妙な影響を齎していることは拒みえないだろう。また、たとえば、農業家族や中小企業家族では、長男や長男夫婦の加功が同様の扱いになっている場合がみられる。これらの寄与分は、法的には不当利得による清算を認めうべきものかもしれないが、それを評価し、控除し、その後に純然たる被相続人の個人財産を想定するなどということは、至難のわざでもあり、実際上行なわれる可能性もない。かりに、こういう加功分の問題は考えないとしても、遺さ

——遺産の生活源的不可分性

れた財産が、生活を共同にする遺族にとって、いわば分けることのできない生活源財産であるという場合も数多い。農業用資産とか、中小企業の設備とかいうものは、それによって遺族が生活してゆくための最低経営単位であって、これを分割することは、しばしば相続分を上回る扶養の要求をもって報いられる可能性さえ少なくない。この認識は、あえて相続を主張しようとする意思にとって大きな圧力でありうる。こういった事情で、日本の社会にみ出される遺産の多くは、民法の予定したような、被相続人個人の自由な財産でないことが多い。もちろん、家族による事業が衰退し、社会保障が完備してゆくにつれ、こうした遺産はしだいに減少するではあろうが、それは当面の事態でないことというまでもない。それゆえ、その前提を失った民法があらゆる脱け途を利用して脱法されるのもやむをえない理由がある。

分割相続の滲透——放棄の実質的対価としての扶養

しかし、民法に脱法の途があり、社会に脱法を裏づける理由があるとしても、ことを広く、全体として観察することが許されるなら、逆に分割相続的傾向の表われもみられないわけではない。分割相続を回避するために行なわれている放棄その他の手段にしても、実質的に観

察すれば、かならずしも無償であるとは限らないのである（高梨「相続と扶養」綜合法学四〇号一頁）。まず、配偶者の立場から考えてみよう。生存配偶者が老年で、とくにそれが多数である女子の場合には、その最大の関心事は老後の扶養である。この場合、生活維持源である最低経営単位の一部を強いて相続してみても、これを管理・運営することはむずかしく、その収益で余生を送ることも至難といわねばならない。そして、相続財産の全部を消費しつくした後、扶養を子に求めることは、すでに扶養源財産を解体させてしまっているため困難な場合を生ずる。そうとすれば、放棄によって財産を纏め、みずから快適な、少なくとも国家扶養などに比してそう信じられている扶養をえようとするのは当然である。つまり、こういう放棄の根底には扶養を受けることの期待がある。相続と扶養とは法的には無関係だときめつけることはやさしいが、ここではその実質についていうのである。また、生存配偶者が若年で、ことに幼少の子女をかかえている場合には、相続どころか、現在および将来の生活が刻下の問題になっており、分割相続を避けることと扶養とは盾の両面になっている。いずれにしても、分割相続の回避によってなにものかが与えられている。つぎに、子の立場から考えていってみよう。子が既婚の女である場合には、かの女の放棄は総じて無償ではない。婚姻の費用は決して少額ではなく、農家などでは純財産の二割前後が普通だということだが（昭和二六年農林省統計局調査、高梨・日本婚姻法論一八三頁）、もちろんそのほとんどが父の支出である。その後の娘への出費も含めて、この「婚姻……のため……贈与を受けた」特別受益をかの女の相続分から差引けば(九〇三条)、子が三人を超える相続の場合など、既婚女子に分配さるべき遺産は零に近いだろう。放棄理由としてかの女らが「婚姻した」・「生前贈与を受けている」というとき――それは約四分の一に達する――、そこには真の放棄はないといってよい。未婚女子の場合も、将来同じような婚姻費用の出費が相続しただれかに期待されているときは、かの女は実質的には将来の債権を相続しているといってよいし、また婚姻までの扶養を確保することでも償われているかもしれない。つぎに男子の場合だが、学資や、独立のための援助がなされ、またはそれが将来に期待されているときは、そこにはやはり実質的な有償関係がある。そして、いずれの場合でも、母の扶養を相続者が担い、放棄者が担わないというときには、将来の債務を肩代りしているわけであるから、放棄が無償であるということはできない。要するに、純然たる法的観察をやや広めて、実質的な検討を試みれば、放棄も、一子相続に近い分割も、分割相続の実質をもっている場合が少なくないのである。

近代的分割相続のとらえかたの問題

民法が考えている相続、被相続人の個人財産の相続人への平等な分割は、そういう財産の存在するところではそのままの形で行なわれて問題ない。ところが、財産が少なく、共同財産的色彩が強く、これによって家族の生活が辛うじて立つようなものである場合には、ことはそのように簡単ではない。第一に、被相続人の財産を個人のものとして純化しうるような生活や、法的規制が必要であろう。第二に、生活源をなす財産を分割しても、あとに不安を残さないような社会保障の確立も重要であろう。少なくとも、扶養の面について、社会の実態を変えるほどの措置がなければならぬ。しかし、このどれもが、民法の規制をもってするだけではどうしようもないものばかりである。これらの点を考慮することなく分割相続をたたえ、近代化を誇ってみても、それはしょせん六法全書の字づらだけのことに過ぎない。放棄や遺産分割の協議は、少なくも民法の相続人や相続分を無視して、それなりの分割を行なっていくに違いない。この場合に、民法がいくらかでもその理想を達成しようとするなら、遺産の構成をできるだけ個人財産化するための具体論を追求し、扶養の負担を債務化して遺産分割に考慮すべきことを提示するなどが必要だと思われる。もっとも、前者は当然のことで、ケースごとに異なる事態を一々議論はしにくいといわれるかもしれず、また後者は慣習上放置しておいてもそうなると応えられるかもしれない。しかし、多種多様の事実のうちにも類型は認められるはずで、その議論がないと被相続人の財産は不当に大きく把握されてしまい、また分割の公平性や近代性が貫かれなくなってしまう。これらを考慮することによって、よし相続の実際はあまり変わらないにしても、その実態が民法の規制によっていることを説明できるなら、それじたい大きな収穫といえるだろう。この準備をした上で、あとは社会の構造が、現に進みつつある方向にもう一変わり変化してくることを待つべきである。ただ単純に、民法の分割相続に実効性なし、あるいはありといってみるだけでは、おそらくみるべき効果はないと思われるし、そのもつ機能を伸ばし発揮させるにも役だたないと考えられる。分割相続を論ずるにあたっては、も少し相続の実態を追究し、無理をできるだけ避けた近代化の方途を考えてみなければならない。

（高梨公之）

事項索引

あ 行

か 行

さ　行

た　行

な　行

は　行

ま 行

や 行

ら 行

著者紹介

高梨公之（たかなし まさゆき）
1915年生
1938年　日本大学法文学部卒業
現　在　日本大学法学部教授

染野義信（そめの よしのぶ）
1921年生
1943年　日本大学法文学部卒業
現　在　日本大学法学部教授

篠原弘志（しのはら ひろし）
1924年生
1949年　日本大学法文学部卒業
現　在　日本大学法学部教授

有斐閣双書

民法の基礎知識(2)

昭和40年7月25日　初版第1刷発行
昭和56年3月30日　初版第20刷発行

著作者　高梨公之　染野義信　篠原弘志

発行者　江草忠允（えぐさ ただあつ）

東京都千代田区神田神保町2～17
発行所　株式会社 有斐閣
電話東京（264）1311（大代表）
郵便番号〔101〕振替口座東京6-370番
本郷支店〔113〕文京区東京大学正門前
京都支店〔606〕左京区田中門前町44

印刷　株式会社精興社・製本　稲村製本所

民法の基礎知識 (2)（オンデマンド版）

2002年1月20日　発行

著　者　高梨公之・染野義信・篠原弘志
発行者　江草　忠敬
発行所　株式会社有斐閣
〒101-0051　東京都千代田区神田神保町2-17
TEL03(3264)1314（編集）　03(3265)6811（営業）
URL http://www.yuhikaku.co.jp/

印刷・製本　株式会社　デジタルパブリッシングサービス
〒162-0812　東京都新宿区西五軒町11-13
TEL03(5225)6061　FAX03(3266)9639

AA806

ISBN4-641-90210-0　Printed in Japan